Amadou Hampâté Bâ

La Révolte des bovidés
et autres contes de la savane

Choix de contes

LE DOSSIER

Sept contes venus d'Afrique

L'ENQUÊTE

Qui sont les Peuls ?

Notes et dossier
Laurence de Vismes Mokrani
certifiée de lettres modernes

Collection dirigée par
Bertrand Louët

Sommaire

OUVERTURE

Contes extraits de l'ouvrage *Petit Bodiel et autres contes de la savane*, de Amadou Ampaté Bâ
© Nouvelle Éditions ivoiriennes, 1993
© Éditions Stock, 1994

© Hatier, Paris, 2013
ISBN : 978-2-218-96635-4

La Révolte des bovidés et autres contes de la savane

LE DOSSIER

Sept contes venus d'Afrique

L'ENQUÊTE

* Tous les termes suivis d'un astérisque sont expliqués dans le lexique p. 95.

Qui sont les personnages ?

Dans les *Contes de la savane*, les personnages sont des hommes ou des animaux. Tous parlent le même langage et se comprennent. Parfois, interviennent aussi des êtres surnaturels…

Les hommes

ZAN DONSO et **SORIDIAN**, les deux héros du conte *Le Chasseur et son cordonnier*, sont toujours ensemble et partagent tout, au point qu'on les considère comme des jumeaux. Mais ils n'agissent pas de la même façon. Le **ROI DES MONTS** saura récompenser celui qui le mérite et punir les mauvaises actions.

MIANDAFOU, le personnage principal de *Satan et la Foire-Catastrophe*, est un peu trop curieux. Ce défaut lui permettra cependant de découvrir un commerce surprenant…

LE RICHE et **LE PAUVRE** : ces deux personnages opposés dans *La Poignée de poussière* représentent des types universels.

LE ROI, dans *La Révolte des bovidés*, symbolise tous ceux qui dirigent le peuple, qui ont le pouvoir ou le commandement.

Les animaux

LE LION

Roi de la brousse, c'est l'animal le plus puissant ; il symbolise la force féroce. Tous s'inclinent devant lui, il lui suffit de rugir pour se faire obéir.

LE SERPENT

Dépourvu de pattes et parfois dangereux, il représente la méchanceté perfide. Cependant, il lui arrive de tenir ses promesses et de rendre service.

L'HYÈNE

Avec ses pattes arrière un peu trop courtes et sa mâchoire puissante, elle incarne à la fois la soumission, la couardise, et une gourmandise répugnante.

LE BOUC

Il porte une barbiche, c'est pourquoi on le considère comme un petit vieux plein de sagesse. Mais il ne se laisse pas faire pour autant.

Les personnages surnaturels

DIEU ou des démons comme **SATAN** interviennent parfois pour mettre les hommes à l'épreuve.

Que se passe-t-il dans les contes ?

Les circonstances

Les histoires racontées dans les contes se passent dans un royaume lointain, dans un village indéterminé ou dans la brousse… On ne peut pas vraiment situer le lieu, ni le moment où se déroule l'action : « C'était au bon vieux temps… », « Un jour… », « Voilà bien longtemps »…

L'action

• ***LE CHASSEUR ET SON CORDONNIER***

1. Zan Donso, « excellent et intrépide chasseur », est emprisonné injustement. Comment fera-t-il pour se libérer ?

2. Grâce à l'aide de l'Hyène, du Lion et du Serpent, Zan Donso réussit les épreuves qui lui permettront de recouvrer la liberté et de faire éclater la justice.

Le but

Les *Contes de la savane* s'adressent à tous les publics, les enfants comme les adultes. Les conteurs cherchent à distraire et à amuser l'auditoire. Mais ces histoires délivrent aussi des leçons de vie et de sagesse. Beaucoup de contes se terminent d'ailleurs par une sorte de moralité*, comme dans les fables.

Homme de la tribu des Afars, Éthiopie.

• ***SATAN ET LA FOIRE-CATASTROPHE***

1. Miandafou voudrait savoir ce qui se passe à la Foire-Catastrophe, mais il ne peut rien voir...

2. Miandafou reçoit une goutte de salive magique, qui lui permet de voir l'invisible...

Qui est l'auteur ?

Amadou Hampâté Bâ (1900-1991)

• UNE JEUNESSE HEUREUSE DANS UN VILLAGE AFRICAIN

Amadou Hampâté Bâ naît entre 1900 et 1901, à Bandiagara (ancienne capitale du Mali). Il appartient à une famille peule noble, c'est-à-dire « libre ». Ayant perdu très tôt son père, il est adopté par le second époux de sa mère. Avec ses nombreux camarades, il passe une jeunesse très libre et heureuse, occupant ses journées à divers jeux dans la brousse : il apprend ainsi, sans s'en douter, beaucoup de choses sur la nature et la vie en société.

• UNE ÉDUCATION TRÈS « COMPLÈTE »

Lorsqu'il a 7 ans, il entre à l'école coranique où il apprend à lire et à écrire les textes sacrés. Quelques années plus tard, on l'envoie d'office à l'école française de Bandiagara puis de Djenné. Il reçoit donc également une instruction européenne. On lui propose même d'entrer à l'école normale de Gorée, afin de devenir instituteur. Mais il quitte l'école sans emporter son diplôme et va rejoindre sa mère à Kati.

• UNE VIE AU SERVICE DE L'AFRIQUE

Amadou Hampâté Bâ commence sa carrière comme employé de bureau dans l'administration coloniale où il occupe ensuite plusieurs postes.
À partir de 1942, il effectue des enquêtes sur les civilisations africaines pour l'Institut français d'Afrique noire (Ifan). C'est alors qu'il commence à recueillir, à transcrire et à publier les contes traditionnels de son pays.
En 1960, le Mali devient indépendant : Amadou Hampâté Bâ représente son pays à l'Unesco jusqu'en 1970.
Il consacre les dernières années de sa vie à exploiter les notes qu'il a accumulées et à rédiger ses mémoires (*Amkoullel, l'enfant peul*).
Il meurt à Abidjan en mai 1991.

D'où viennent les contes ?

• L'AFRIQUE D'AUTREFOIS

Les *Contes de la savane* sont originaires du Mali. Ce pays était à l'origine occupé par diverses tribus, entre autres les Bambaras, les Peuls et les Toucouleurs, et appartenait à un grand ensemble que l'on appelait l'« Empire mandingue ».
Les tribus se partageaient le territoire selon des règles ancestrales, favorisant ainsi les échanges et le commerce (par exemple au gré des déplacements du bétail pour ceux qui élevaient des troupeaux).
En 1830 commence la colonisation de l'Afrique : la France occupe les territoires de l'Ouest africain. Ces pays ont reconquis leur indépendance en 1960.

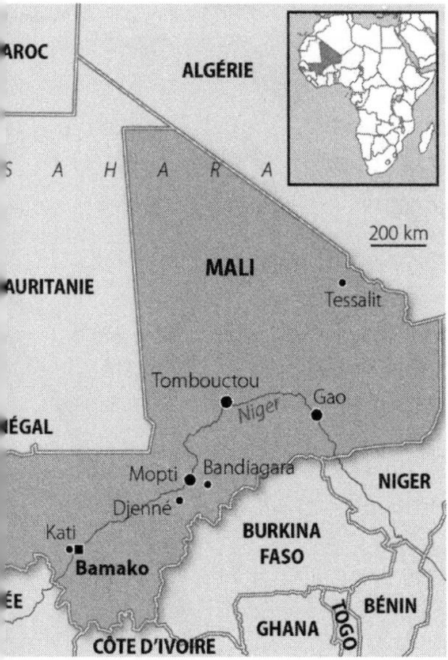

• LA TRANSCRIPTION DES CONTES

Amadou Hampâté Bâ parlait et comprenait deux des langues du Mali, le peul et le bambara. Il savait écrire en arabe (grâce à l'école coranique) et en français. Il a donc commencé par créer un système de transcription des langues africaines à l'aide de l'alphabet français, puis il a mis par écrit les contes qu'il avait entendus lorsqu'il était enfant ou lors de ses voyages d'étude. Considéré comme le sauveur de la culture ancestrale de l'Afrique, il est célèbre pour la phrase prononcée en 1962 à la tribune de l'Unesco : « En Afrique, quand un vieillard meurt, c'est une bibliothèque qui brûle. »

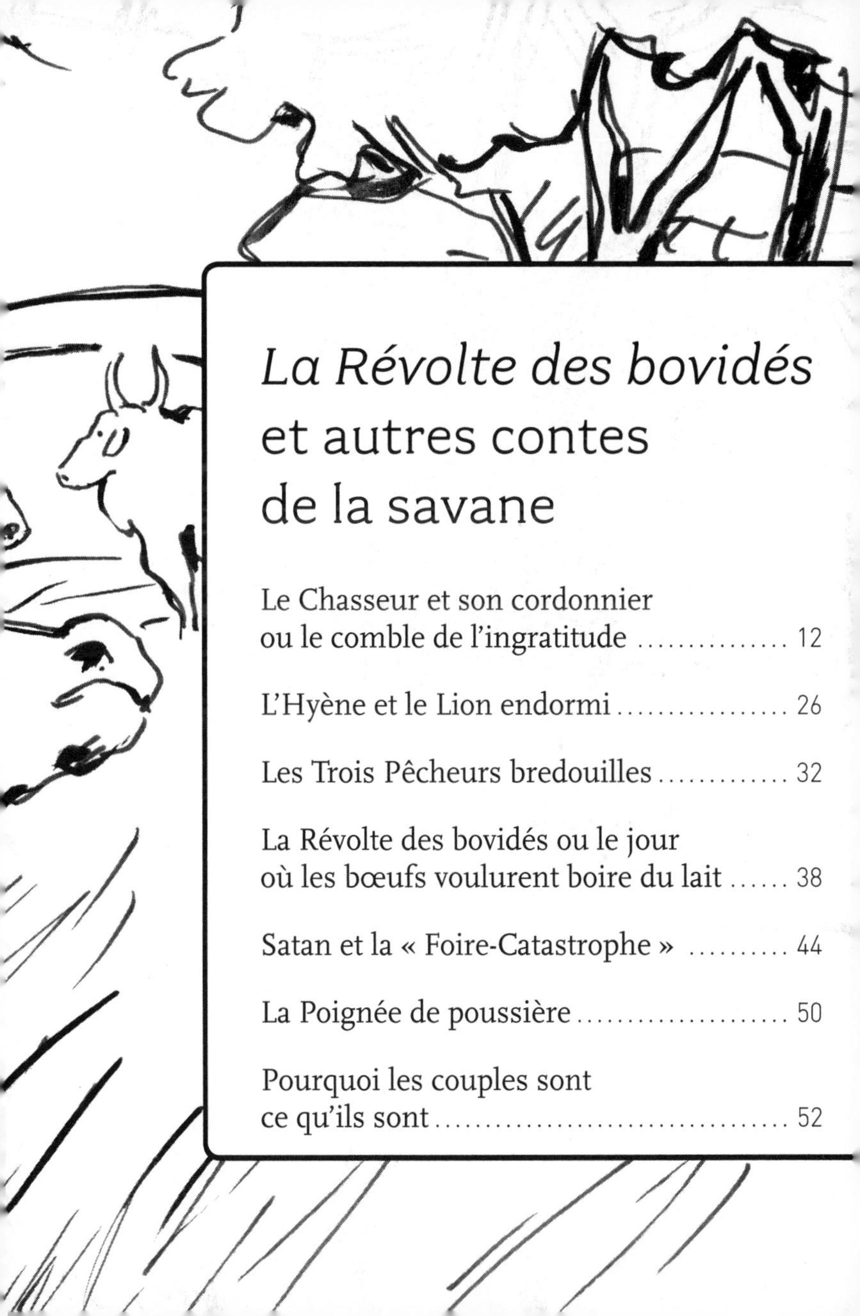

La Révolte des bovidés et autres contes de la savane

Le Chasseur et son cordonnier ou le comble de l'ingratitude

Conte bambara

L'histoire se passe au Royaume des Monts, non loin du pays des Deux Fleuves. C'était au bon vieux temps où les hommes et les animaux parlaient un même langage et entretenaient des relations parfois cordiales.

5 Zan Donso, fils de chasseur, et Soridian, fils de cordonnier, étaient nés le même jour, dans la même concession[1]. Leurs pères étaient deux amis inséparables. Hélas ! un mois après la naissance de Soridian, son père cordonnier mourut, et un mois plus tard sa mère le rejoignait dans l'autre monde, laissant seul 10 le petit orphelin. Dembagnouma, la mère de Zan Donso, prit l'enfant avec elle et partagea son lait entre les deux nourrissons. Bien que Soridian appartînt à la caste des *garanke*●, on le considérait comme le frère jumeau de Zan Donso.

15 Le père de Zan subvenait à tous les besoins de Soridian. Quand le moment fut venu, il enseigna à son fils le métier de chasseur qui était le sien et confia Soridian à un maître cor-

1. Dans la même concession : sur le même terrain.

● **Le mot *garanke* désigne les cordonniers. Dans l'Afrique traditionnelle, les métiers déterminent la catégorie sociale à laquelle on appartient : on est cordonnier de naissance, ou bien forgeron, tisserand ou bûcheron, et on le reste toute sa vie.**

donnier afin qu'il apprenne l'art de travailler le cuir, comme le voulait sa tradition de naissance.

20 Avec l'âge, Zan devint un excellent et intrépide chasseur, et son frère de lait un cordonnier habile.

Puis le père de Zan Donso mourut. Son fils, devenu chef de la famille, continua à entretenir Soridian comme son père l'avait fait avant lui. Quand Zan Donso se maria, il voulut que son 25 frère de lait fût heureux en même temps que lui. Il lui trouva une épouse et organisa son mariage. Bref, ils vivaient tout en commun et rien ne semblait pouvoir les séparer.

Un jour, comme de coutume, Zan Donso partit à la chasse. 30 Il s'enfonça très loin dans la haute brousse. Écrasé de chaleur, tenaillé par la soif, il cherchait où se rafraîchir quand, soudain, il aperçut un puits. Il s'en approcha pour y puiser de l'eau. À sa plus grande surprise, il entendit des appels au secours qui venaient du fond du puits. Il se pencha :

35 « Qui est là ? » cria-t-il.

Une voix puissante répondit :

« Moi, Lion, Roi de la brousse et le plus puissant des quadrupèdes[1], ainsi que Hyène ma servante fidèle dont une plate vassalité[2] a fortement abaissé le train arrière[3].

40 – Ouhou ! Ouhouou ! fit l'Hyène. Je suis Hyène, citoyenne de la brousse...

– Tais-toi, pelage fauve sale ! ordonna le Lion.

1. **Quadrupèdes** : animaux qui ont quatre pattes.
2. **Vassalité** : dépendance, soumission.
3. **Train arrière** : pattes arrière (la hyène a les pattes de derrière plus courtes que les pattes de devant).

– Seigneur, gémit l'Hyène, laisse-moi manifester ma joie. Tes paroles m'ont donné une haute opinion de moi et des services que je te dois, et que je te rends d'ailleurs avec honneur et bonne volonté...

– Tais-toi, vagabonde ! Laisse-moi finir ce que j'ai à dire », rugit le Lion. Puis il continua : « Il y a aussi avec moi le Serpent, le rampant des champs. »

Zan Donso se souvint que, quelques jours auparavant, il avait rencontré le vieux Bougourida Thiéma, et que celui-ci lui avait dit : « Mon fils, une pluie toute spéciale est tombée ces jours-ci, qui a pour effet de revivifier l'ingratitude. »

« Soyons prudent », se dit Zan Donso. Et il hésita à porter secours aux trois animaux qu'il considérait comme symbolisant respectivement la force féroce, la gourmandise infecte et la méchanceté perfide.

« Fils d'Adam*, fit le Lion, ne perds pas de temps à réfléchir. Ne crains rien de notre part. La pluie d'ingratitude qui est tombée dernièrement ne nous concerne pas. Nous saurons tous les trois reconnaître ton bienfait. »

Zan Donso réfléchit. « Il n'y a plus lieu d'hésiter, se dit-il, puisque le plus puissant des quadrupèdes, le Roi de la brousse lui-même, a deviné ma pensée. » Se saisissant alors d'une longue corde très solide qu'il emportait toujours avec lui, il s'en servit pour tirer du puits les trois compagnons. Ceux-ci, après l'avoir chaleureusement remercié, s'éloignèrent et s'enfoncèrent dans la brousse. Le jeune homme se désaltéra, puis il poursuivit son chemin.

* L'expression « fils d'Adam » désigne l'homme. En effet, dans les traditions chrétienne et musulmane, l'homme est le descendant d'Adam et Ève, les premiers êtres humains créés par Dieu.

70 Quelques mois plus tard, Zan Donso passa toute une journée à chercher du gibier, mais en vain. Bredouille, il reprenait tristement le chemin du village quand, passant près d'un bosquet, ses narines perçurent tout à coup l'odeur de l'Hyène. Il se demanda où pouvait se cacher la nocturne... Brusquement, 75 celle-ci sortit de sa retraite :

« Bonjour, frère Zan Donso ! fit-elle.

– Bonjour, servante au cul incliné en pente rapide !

– À ce que je vois, tu n'as rien pris aujourd'hui, frère Zan Donso ?

80 – En effet, sœur Hyène. Le petit et le gros gibier ont fui. Sans nul doute, ils ont eu peur de toi et de ton seigneur, le Lion à la grosse tête.

– Que non, frère Zan Donso ! Le gibier a été exterminé par une troupe de bandits coupeurs de route qui ont installé leur 85 refuge dans cette brousse. Le gros baobab[1] que tu aperçois là-bas est l'un de leurs lieux de campement. Ils y passent la nuit après avoir fait l'inventaire de leurs rapines[2] de la journée. Ils tuent tout sur leur passage. Puisque tu n'as rien pris aujourd'hui, inutile de rentrer au village. Viens avec moi. Nous allons nous dis-90 simuler dans un fourré que je connais et attendre que les bandits reviennent. En reconnaissance du service que tu nous as rendu, à moi, à mon seigneur le Lion et à mon frère le Serpent, le rampant des champs, je dois te faire un cadeau. C'est sur le butin des coupeurs de route que je vais le prélever. »

95 Zan Donso et Hyène se postèrent dans le fourré. Peu de temps après, la troupe des bandits déboucha sur le chemin et se

1. **Baobab** : arbre d'Afrique dont le tronc est énorme (voir Enquête p. 86).
2. **Rapines** : butin obtenu par le vol.

dirigea tranquillement vers le baobab. Tandis que des serviteurs installaient le campement et préparaient le repas, les bandits s'allongèrent, attendant d'être servis.

100 L'Hyène observa que le chef de la bande s'était éloigné et qu'il semblait chercher en vain un lieu sûr où déposer une volumineuse sacoche qu'il ne quittait pas de l'œil. Finalement, il la conserva et s'en servit comme oreiller.

Peul originaire d'un village de Casamance, région du sud du Sénégal comprise entre la Guinée-Bissau et la Gambie, sous un vieil arbre.

L'Hyène dit à Zan Donso : « Tout le monde me traite de timo-
105 rée, et même de couarde[1]. Mais tu vas voir de quels exploits je suis capable quand m'inspire le devoir de payer une dette de reconnaissance ! »

Alors elle s'élança, bondissante, accompagnant chacun de ses sauts d'un hurlement lugubre, bref et saccadé. Les servi-
110 teurs poussèrent des cris : « Au secours ! Au secours ! L'Hyène vient à nous ! » Ne sachant de quel côté allait apparaître la dératée●, ils couraient en tous sens. Les chevaux et les mules, effrayés par leurs cris, s'agitèrent dans leurs liens. Les hommes se précipitèrent vers leurs montures, à la fois pour les retenir et
115 les protéger.

Profitant de cette panique générale, l'Hyène fonça sur les bagages alors que tout le monde l'attendait du côté des bêtes. Fait unique dans les annales de la gent carnivore[2], l'Hyène, dédaignant les animaux, ne s'empara que de la sacoche du chef
120 de bande. La tenant bien serrée dans sa gueule, elle détala vers la forêt. Là, elle vint la déposer aux pieds de Zan Donso : « Ce que tu trouveras dans cette sacoche sera ta chance », lui dit-elle. Puis, satisfaite d'elle-même, elle s'éloigna en hurlant dans la nuit.

Zan Donso ouvrit la sacoche. Merveille ! Elle était remplie de
125 pépites d'or énormes, dont deux avaient la grosseur d'une tête humaine !

Zan Donso bénit le ciel. Tout joyeux, il prit le chemin du retour. La nuit était déjà avancée lorsqu'il regagna son village. Il

1. **Timorée** : craintive ; **couarde** : lâche, peureuse.
2. **La gent carnivore** : l'ensemble de tous les carnivores.

● **« Dératée » signifie « à qui on a enlevé la *rate* » (petit organe situé dans l'abdomen). L'hyène est un animal très rapide, comme certains animaux de course à qui, autrefois, on enlevait la rate pour les faire courir plus vite.**

alla directement se coucher, mais il était trop excité pour pou-
130 voir trouver le sommeil. N'y tenant plus, il alla réveiller son jumeau Soridian et l'entraîna chez lui. Il lui dit qu'un bonheur incomparable venait de leur échoir. Tout d'abord, Soridian ne comprit rien ; il demanda à Zan Donso ce qu'il avait tué pour être dans une joie pareille.

135 « Je n'ai rien tué, répondit le chasseur ; mais, désormais, je n'aurai plus besoin de mon fusil pour vivre. Et toi non plus tu n'auras plus besoin de peiner à tremper, tanner et corroyer● tes peaux pourries. Maintenant je suis, ou plutôt nous sommes riches, plus riches que tous les chefs et les rois de toutes nos
140 contrées réunies. Mon fusil de chasse et ton alène[1] perceuse de cuir ne seront plus que deux outils symboliques pour rappeler notre condition première. »

Zan alla chercher la sacoche et l'ouvrit devant Soridian :

« Nous allons nous partager cette fortune en deux parts
145 égales, comme il se doit entre deux jumeaux », dit-il en riant.

Soridian manifesta une joie débordante. Il bénit son frère jumeau et promit de revenir tôt le lendemain matin pour régler avec lui cette affaire de famille.

Mais le lendemain, bien avant le lever du soleil, Soridian
150 quitta furtivement[2] la maison et s'en alla frapper à la porte du palais où demeurait le Roi des Monts. Il se fit introduire auprès de lui.

1. **Alène** : grosse aiguille utilisée par les cordonniers.
2. **Furtivement** : discrètement.

● « Tremper, tanner et corroyer » désignent trois opérations qui permettent de transformer les peaux d'animaux en cuir, pour en faire des objets de cordonnerie. On les *trempe* pour les ramollir ; puis on les *tanne*, c'est-à-dire qu'on les prépare avec des substances végétales pour qu'elles ne pourrissent pas ; enfin on les *corroie*, pour les assouplir.

« Seigneur, lui dit-il, je ne peux concevoir qu'il y ait, dans le Royaume des Monts, un homme qui soit plus riche que toi. Or, Zan Donso semble avoir assassiné quelque riche marchand et mis la main sur sa fortune. Je ne puis te dire la valeur de ce trésor. Il est fabuleux ! Il faudrait que tu le voies de tes propres yeux, mais Zan Donso ne veut pas que tu en saches quoi que ce soit. Il m'a demandé mon silence, en échange de la moitié du produit de son vol. Vois-tu, je ne me sens plus en sûreté chez lui. Je serai mieux à ton ombre. Seigneur, garde-moi auprès de toi. Je serai ton cordonnier. Je sais réciter les louanges et les généalogies et je travaille le cuir comme un génie[1]. »

La cupidité du Roi fut éveillée. Il envoya chercher le chef de ses gardes. « Pars à la tête de tes hommes, lui dit-il, et va t'emparer de Zan Donso. Attache-le solidement et fais-lui porter son or sur la tête. Mon cordonnier Soridian vous guidera. Sans lui, en vérité, je ne saurais rien de ce qui se passe dans ma ville, à plus forte raison dans le reste du pays !

Pendant ce temps, Zan Donso, qui s'était réveillé de bonne heure, attendait avec impatience son frère de lait pour prendre son petit-déjeuner avec lui comme de coutume et mettre au point le partage du trésor. Quelle ne fut pas sa surprise quand il entendit donner de grands coups dans la porte de son vestibule[2] ! Sortant précipitamment, il vit Soridian devant la porte, escorté par la garde du Roi. Persuadé que son frère jumeau s'était rendu coupable de quelque faute, il s'écria : « Mon frère est incapable de faire du mal à une mouche. Qu'avez-vous à lui reprocher ? »

1. **Génie** (ou djinn) : être surnaturel, capable des réalisations les plus belles.
2. **Vestibule** : couloir ou entrée d'une maison.

Soridian propose donc au Roi des Monts de devenir l'un de ses griots (voir p. 65).

180 Pour toute réponse, les gardes se précipitèrent sur lui, le réduisirent à l'impuissance et le ligotèrent comme un fagot de bois mort. Soridian pénétra alors dans la chambre de Zan Donso et, de ses propres mains, s'empara de la sacoche pleine d'or.

Le Roi fit enfermer Zan Donso dans une prison obscure. Le 185 jour même, il admit Soridian au rang des griots[1] favoris du trône.

En ville, on ne parlait que de l'aventure fâcheuse qui était advenue à Zan Donso par la faute de son cordonnier. Le Serpent, qui se promenait au bord de la rivière, entendit les femmes venues puiser de l'eau raconter comment Soridian avait trahi son grand 190 bienfaiteur, dont il avait pourtant sucé le lait maternel.

Il se rendit en hâte auprès du Lion et lui conta ce qu'il venait d'apprendre. L'Hyène, qui était présente, intervint :

« Seigneur Lion, dit-elle, Zan Donso n'a pas volé l'or en question. C'est moi qui l'ai prélevé sur le magot[2] des bandits qui 195 infestent notre brousse. Je le lui ai donné afin de le remercier du service qu'il nous a rendu.

– Bien travaillé, Hyène ! décréta le Lion. Je suis content de toi. Viens me masser les pieds. »

L'Hyène sauta de joie et se mit en devoir de masser conscien- 200 cieusement les pieds de son grand Seigneur à la crinière jaunâtre.

Pendant ce temps, le Roi de la brousse réfléchissait. Il dressa un plan de campagne qu'il exposa à ses compagnons.

« Il nous faut délivrer Zan Donso de sa prison comme il nous a sortis du puits, dit-il. Serpent, va au village et glisse-toi 205 jusqu'auprès de lui. Dis-lui que nous veillons et mets-le au courant de notre plan. »

1. **Griot** : conteur africain (voir p. 65).
2. **Magot** (terme familier) : trésor.

Aussitôt, le Serpent prit la route. Parvenu au palais, il n'eut aucune difficulté à se faufiler jusqu'à la prison où Zan Donso était maintenu enchaîné. Dès qu'il fut en sa présence, il lui dit :

210 « Ma sœur l'Hyène s'est acquittée la première de sa dette envers toi. Le Lion et moi allons à notre tour essayer de te sortir de là. Voici notre plan :

« Les noces du Prince des Monts, fils du Roi, avec la Princesse des Deux Fleuves sont fixées pour la semaine prochaine. Jeudi 215 matin, de très bonne heure, la Princesse des Monts, sœur du Prince, se rendra en grande cérémonie à la rivière pour procéder à la lessive traditionnelle du linge des futurs époux. Le Lion profitera de cette occasion pour l'enlever, et toi seul pourras la délivrer. Sans nul doute, cet exploit te vaudra la reconnaissance 220 du Roi son père et son cœur s'attendrira pour toi.

« Le même soir, alors que la Princesse des Deux Fleuves sera conduite chez son fiancé le Prince des Monts, je me glisserai dans la chambre nuptiale et piquerai le Prince au talon. Il tombera sans connaissance et aucun remède ne pourra le guérir, 225 sauf cette poudre que voilà. Délaye-la dans de l'eau et fais-lui-en boire quelques gorgées. La guérison sera instantanée. »

Sa mission accomplie, le Serpent sortit du palais aussi discrètement qu'il y était entré.

230 Le jeudi matin, comme prévu, toutes les jeunes filles du village, des calebasses[1] pleines de linge sur la tête, se dirigèrent en chantant vers le fleuve, conduites par la Princesse des Monts et accompagnées de gardes armés de bâtons. Lorsque le convoi

1. **Calebasses** : récipients fabriqués avec l'écorce de gros fruits ressemblant à des citrouilles.

parvint à un endroit où le chemin s'incurvait[1] pour contourner un petit bosquet, le Lion surgit brusquement des fourrés en 235 poussant un rugissement effrayant. Les jeunes filles, mortes de peur, jetèrent leurs calebasses et s'enfuirent en appelant au secours. Le Lion s'était emparé de la Princesse. Les gardes tentèrent d'intervenir, mais détalèrent dès que le Lion fit mine de les attaquer.

240 Le Roi des Monts apprit l'affreuse nouvelle. Aussitôt, il envoya sur les lieux une troupe bien armée, mais celle-ci n'eut pas plus de succès que les gardes. Le Lion, assisté de la Lionne son épouse, mit les soldats en fuite.

Désespéré, le Roi fit mander[2] le cordonnier. Il lui dit :

245 « Ma fille a été enlevée par un lion, mais tout porte à croire qu'elle est encore en vie. Réunis des hommes intrépides[3] et bons tireurs. Avec eux, nous irons toi et moi à la chasse au lion.

– Ô Seigneur, fit Soridian, je ne suis pas un chasseur ! Je ne suis bon que pour tanner la peau du lion une fois qu'il aura été 250 tué. Mais Zan Donso, lui, est chasseur de lions, et même un peu sorcier. Je me demande, d'ailleurs, si dans cette affaire il n'y a pas de sa main●. Il faut l'extraire de sa prison et l'envoyer combattre le lion. S'il y perd la vie, eh bien ! tu en seras quitte pour garder son or sans palabres[4] ni critiques d'aucune sorte. »

255 Le Roi envoya ses gardes chercher Zan Donso. Quand celui-ci fut en sa présence, il lui proposa, pour prix de sa liberté, d'aller combattre le lion et de délivrer la Princesse. Puis, se penchant vers lui, il lui murmura à l'oreille : « Si tu me ramènes ma fille vivante, je te rendrai tout ton or ! »

1. **S'incurvait** : faisait une courbe.
2. **Mander** : appeler.
3. **Intrépides** : braves, courageux.
4. **Palabres** : discussions.

● **Soridian insinue que Zan Donso est responsable de l'enlèvement de la princesse.**

260 Zan Donso accepta la mission. Il demanda seulement un coursier[1] rapide et un bon fusil. Ensuite, à la plus grande surprise de tous, il partit seul et s'enfonça dans la brousse.

Avant même le coucher du soleil, il était de retour, accompagné de la Princesse. Le Roi fut au comble de la joie.

265 Quelques instants plus tard, on entendit résonner au loin le battement des tam-tams et l'accent aigu des trompettes. C'était le cortège de la Princesse des Deux Fleuves, fiancée du Prince, qui approchait. La Princesse des Monts, si heureusement délivrée, put ainsi recevoir dignement sa belle-sœur et la conduire 270 elle-même à la chambre de son époux.

De son côté, le Prince des Monts s'était préparé comme il se devait en vue de consommer son mariage. Le moment venu, tout heureux, il se dirigea vers la chambre nuptiale[2]. Mais comme il en franchissait le seuil, il ressentit brusquement un 275 coup sec dans le talon. Le Serpent venait de tenir sa promesse...

Le jeune Prince tomba raide sur le sol. On le transporta dans son lit. De l'avis de tous les Connaisseurs● convoqués à son chevet, sa vie était sérieusement menacée. Le sang coulait doucement de toutes les ouvertures de son corps.

280 Le Roi, affolé, fit de nouveau appel au concours de Zan Donso, cette fois-ci sans passer par le cordonnier.

Zan Donso examina le blessé :

« Seigneur, dit-il, je peux sauver le Prince. Mais pour que sa guérison soit définitive, il me faudra ensuite préparer un 285 onguent[3] spécial. Or, l'eau qui entre dans la préparation de cet onguent doit être puisée à la rivière au moyen de la boîte crânienne d'un grand traître.

1. **Coursier** : grand et beau cheval, très rapide.
2. **Chambre nuptiale** : chambre des nouveaux mariés.
3. **Onguent** : sorte de pommade.

● **Les Connaisseurs sont les sages qui connaissent les vertus des plantes et l'art de guérir.**

– Pour cela, j'ai ce qu'il te faut, fit le Roi. En attendant, travaille au plus vite et sors mon fils de son état. »

290 Zan Donso délaya la poudre que le Serpent lui avait donnée et en fit avaler quelques gorgées au Prince. Aussitôt, celui-ci ouvrit les yeux et se remit sur pied comme si de rien n'était.

Émerveillé, le Roi dit à Zan :

« Non seulement je te rends ton or, mais en plus je te donne 295 ma fille la Princesse des Monts. Tu consommeras ton mariage avec elle cette nuit même, tandis que mon fils consommera le sien avec la Princesse des Deux Fleuves. Ce sera une double fête pour nous tous !

« Par ailleurs, j'ai appris que le cordonnier Soridian et toi 300 étiez non seulement des amis, mais des frères ayant sucé le même lait. On m'a mis au courant de tous les bienfaits que tu lui as prodigués[1] ; j'ai même appris que tu étais disposé à partager ton or avec lui. Et pourtant il est venu te vendre à moi. À mon sens, on ne saurait trouver de plus grand traître que lui 305 dans tout le royaume. C'est donc son crâne que je te donnerai demain matin pour aller puiser l'eau nécessaire à la préparation de l'onguent qui guérira définitivement mon fils. »

Sur-le-champ, le Roi des Monts convoqua son bourreau.

« Fais venir Soridian », ordonna-t-il. Quand ce dernier fut 310 devant lui, le Roi dit :

« Soridian, tu es un homme bien renseigné. Je voudrais qu'avant demain tu désignes à mon bourreau le plus grand traître du pays, car il a ordre de m'apporter son crâne avant que le soleil ne se lève. »

1. **Prodigués** : donnés généreusement.

Soridian, qui avait assisté au revirement de fortune en faveur de Zan Donso, craignait pour sa vie. Pour sauver sa tête qu'il sentait menacée, il dit :

« Seigneur, comment un pauvre cordonnier tel que moi pourrait-il connaître le plus grand traître de ton royaume ? Zan Donso, que voici, est non seulement un chasseur intrépide, mais aussi un grand sorcier. Il est donc l'homme le plus qualifié pour désigner ce traître.

– Cordonnier Soridian ! s'exclama le Roi. Regarde bien Zan Donso en face. Son visage est limpide comme un miroir. Peut-être, en t'y mirant[1] bien, y verras-tu le reflet du visage du grand traître de mon royaume qui doit mourir demain au lever du jour ? »

Le cordonnier regarda le visage de Zan Donso. Espérant encore pouvoir se débarrasser de lui – car il redoutait les conséquences de sa trahison –, il déclara :

« Ô Roi ! Le plus grand traître de ton royaume est Zan Donso dont je contemple en ce moment le visage ! »

À ces mots, le Roi fut davantage encore convaincu de l'ingratitude de Soridian. Il éclata de rire.

« Bourreau ! appela-t-il. Soridian a bien vu l'image du traître sur le front de Zan Donso, mais il se garde de le dire. Je n'en suis nullement surpris, car en vérité le plus grand traître de mon royaume, c'est lui-même. C'est donc sa tête que tu m'apporteras demain matin. »

Pour ôter à Soridian toute chance de fuir, le bourreau s'empara de lui et l'enchaîna. Et le lendemain, au petit jour, Soridian subit le triste sort qui, bien souvent, est celui de l'ingrat et du traître.

1. **En t'y mirant** : en t'y regardant (comme dans un *miroir*).

L'Hyène et le Lion endormi

Conte soudanais

Un jour, l'Hyène trouva le Lion étendu sous des buissons. Le Roi de la brousse dormait si profondément qu'elle le crut mort.

« Ah ! Ah ! ricana-t-elle. Voilà tout de même le despote[1] emporté par une force supérieure à la sienne : la mort. Seule la mort, en effet, peut le terrasser ainsi : bouche ouverte, griffes rétractées... Puisse Dieu empêcher le cruel de revenir à la vie, et que tous les survivants de son espèce périssent ! »

Enhardie[2], elle s'approcha du Lion et lui cracha sur la tête : « Honte à toi, myope, fils de borgne, petit-fils d'aveugle ! Te voilà mort et tes cendres seront dispersées aux six points de la terre ! »

Puis elle s'interrogea : « À la vérité, qu'avait donc le Lion de plus que moi ? Je vais me mesurer à lui pour le savoir. » Et elle s'étendit de tout son long au côté du Seigneur de la brousse. « Voyons, fit-elle, je constate que nous avons la même taille, le même tour de poitrine et la même encolure. Je ne vois vraiment pas pourquoi j'avais si peur de lui. Ô Dieu, ressuscite donc le sanguinaire[3] ! Sa vue ne me donnera plus la diarrhée. Désormais, c'est moi qui le ferai suer de peur. À ses rugissements prétentieux, j'opposerai mes hurlements autoritaires et intrépides, et ma crânerie émoussera sa vaillance ! Et maintenant, partons. Laissons-le pourrir doucement mais sûrement. »

1. **Despote** : souverain qui exerce un pouvoir absolu et arbitraire.
2. **Enhardie** : prenant de l'assurance.
3. **Sanguinaire** : qui aime faire couler le sang.

Comme l'Hyène tournait le dos pour s'éloigner, le Lion s'étira, ouvrit les yeux, leva la tête et dit : « Hyène, tu me fais trop attendre… Va vite à la rivière puiser de l'eau pour ma toilette.

25 – Hé, Lion ! répliqua l'Hyène. C'est sur ma prière que tu viens d'être ramené à la vie. Je dois te dire que les temps ont changé. Maintenant, nous sommes tous égaux. Il n'y a plus ni roi ni sujets. Pourquoi irais-je chercher de l'eau pour toi ? Si tu as envie de te laver, arrange-toi comme tu l'entendras. Et n'es-
30 saie pas de me faire peur : nous avons même taille, même poitrail, même encolure et même… tout ce que tu voudras. Désormais, je ne te crains plus !

– Et depuis quand cette loi d'égalité totale a-t-elle été publiée dans la forêt ? demanda le Lion.

35 – Ô pauvre ressuscité ! On voit bien que ton séjour dans l'autre monde t'a complètement abruti…

– Écoute-moi, Hyène ! Je ne dormais pas. J'ai parfaitement entendu tout le mal que tu as dit de moi et de mes ancêtres. Me considérant comme supérieur à toi, j'ai méprisé tes injures,
40 mais puisque j'apprends de ta propre bouche que nous sommes égaux, je ne laisserai point tes paroles impunies. Prépare-toi donc à un duel ! »

L'Hyène se campa solidement sur son arrière-train. Le Lion, après avoir pris du recul, bondit : « Attrape ceci pour te désabu-
45 ser[1] ! » cria-t-il. Et d'un coup de poitrine, il renversa violemment l'Hyène. D'émotion, celle-ci se salit de ses propres excréments. Elle tenta de se relever, titubant comme un petit chien qui apprend à marcher, mais le Lion ne lui en donna pas le temps. Il

1. **Pour te désabuser** : pour te sortir de ton erreur (pour te montrer que tu te trompes).

fondit sur elle et l'envoya rouler six coudées[1] plus loin. L'Hyène déposa sur le sol un deuxième témoignage de son émotion. Râlant, se traînant lamentablement, elle essaya de se redresser mais, hélas, un troisième coup la fit voltiger dans les airs. En retombant sur le sol, elle déposa... Inutile d'en dire davantage, vous m'avez compris !

« Ô Lion, fit-elle, j'ai compris ! Tu es toujours le Seigneur de la brousse. On m'a trompée, je demande la paix. D'ailleurs, je n'ai plus rien dans mes intestins. Si tu me cognais encore, j'évacuerais mes tripes... Grâce ! Grâce !

– Iras-tu chercher de l'eau pour ma toilette ? demanda le Lion.

– Qu'à cela ne tienne, Seigneur ! Je n'ai jamais refusé d'obéir à tes ordres, ni d'honorer le moindre de tes désirs. »

Et l'Hyène alla puiser autant d'eau qu'il en fallait pour la toilette du Lion.

Sa corvée accomplie, elle s'en alla, laissant sur le théâtre du combat trois tas nauséabonds qui témoignaient de la violence de son altercation[2] avec le lion. Chemin faisant, elle rencontra le Lièvre.

« Bonjour, Dératée[3] ! la salua celui-ci. À ce que je vois, ton arrière-train est encore plus surbaissé que de coutume. Qu'est-il donc advenu ?

– Ô Oreillard ! répliqua l'Hyène. Je viens de vider un différend[4] avec la Grosse Tête. Je lui ai montré que les choses d'ici-bas changent parfois à l'improviste et que ce ne sont pas toujours les mêmes qui font la loi.

1. **Coudée** : ancienne mesure de longueur valant à peu près 50 cm.
2. **Altercation** : dispute.
3. **Dératée** : voir ci-dessus, note p. 17.
4. **Vider un différend** : régler un conflit.

« Pour me prouver qu'il était toujours le plus fort, le Lion m'a provoquée en duel. Il bondit sur moi et me heurta de toute la puissance de sa poitrine, mais au lieu de m'ébranler, c'est lui qui est allé s'écraser sur ses fesses, tombant si brutalement qu'il en déposa, bien malgré lui, un petit "tas de honte", témoin de sa défaite. Après une deuxième et une troisième collision, le Lion comprit qu'à la fin il ne lui resterait plus rien dans les boyaux. Il me demanda donc la paix, juste au moment où j'allais lui administrer une quatrième correction, une volée de coups qui aurait achevé de l'estropier[1] pour le reste de ses jours.

– Eh, Dératée ! s'exclama le Lièvre. Ton affirmation m'étonne. Je ne puis croire ce que tu me dis.

– Les traces et les excréments de mon adversaire répandus sur le sol te suffiront-ils comme preuve ?

– Certainement.

– Eh bien, suis-moi. Tu en jugeras de tes propres yeux. »

Et ils se dirigèrent vers le lieu du combat. Une fois sur place, l'Hyène expliqua :

« Ici a eu lieu le premier engagement. Le Lion, après m'avoir invitée à me tenir prête, bondit de l'endroit que tu vois là-bas, à huit coudées. Il vint buter contre moi ici. Mais ma résistance était si forte qu'il ricocha, piqua de la tête et se renversa là. Et, ma foi, il se soulagea de ce tas honteux que tu vois. »

Le Lièvre s'approcha du tas en question et l'examina attentivement.

« Sont-ce vraiment là les excréments du Lion ?

– Certes oui ! ricana l'Hyène. Si tu avais vu comment il râlait et comment son "bas" allait quand il évacua ça... »

1. **L'estropier** : le rendre infirme, handicapé.

Le Lièvre sortit alors de son vêtement un sachet dont il retira une poudre noirâtre.

« Cette poudre, expliqua-t-il, a une vertu particulière. Quand on s'en sert pour asperger un excrément, celui qui l'a déposé meurt.

– Et que comptes-tu faire de cette pincée que tu tiens entre tes doigts ? s'inquiéta l'Hyène.

– Jusqu'à présent, répondit le Lièvre, j'ai vainement recherché les excréments du Lion pour débarrasser la brousse de ce monarque despote. Je ne vais pas perdre une occasion qui s'offre si opportunément ! Je vais donc saupoudrer ces résidus, et si vraiment ils appartiennent au Lion, alors son compte est réglé !

– Un petit moment, cousin Lièvre ! fit l'Hyène. N'asperge pas encore ces excréments. Ici, vois-tu, les choses ne sont pas bien nettes. Quand le Lion a buté contre moi, il s'est renversé, cela est incontestable. Mais, il n'est pas honteux de le dire, la nature m'ayant dotée de pattes postérieures un peu trop courtes par rapport à mes pattes antérieures, il m'est difficile de réaliser un équilibre parfait. Quand le Lion m'a heurtée, il s'est produit un mouvement de gaz dans mes intestins. Instinctivement, ma main s'est glissée jusqu'à mon fondement[1] et… tant pis, il faut tout dire… je me suis aperçue qu'il était humecté[2]. Dans ces conditions, je ne puis certifier que les excréments que nous voyons là aient bien été entièrement évacués par le Lion. Allons plus loin, veux-tu ?

– Allons-y ! » accepta le Lièvre, conciliant.

1. **Fondement** : ici, arrière-train.
2. **Humecté** : humide.

Plus loin, un autre tas apparut. Le Lièvre tendit la main pour laisser tomber la poudre magique. L'Hyène se précipita et retint son bras :

« Écoute, cousin Lièvre, j'ai entendu dire que la précipitation était née du diable. Ne t'empresse pas de la sorte, laisse-moi voir d'abord ce qu'il en est. » Et elle fit semblant d'examiner les excréments. « J'aimerais mieux que nous allions au troisième tas, dit-elle, car celui-ci est parsemé de quelques poils qui, après tout, pourraient bien être les miens. »

Au troisième tas, elle fit l'embarrassée...

Le Lièvre, qui tenait toujours une pincée de sa poudre magique entre les doigts, éclata : « À moins qu'il n'y ait un quatrième tas, je crois que nous y sommes ! Je suis à bout de patience. Jusqu'ici, en fait, je n'ai vu que tes excréments et aucun du Lion... ».

Juste à ce moment, le Roi de la brousse apparut. « Ohé, Hyène ! cria-t-il. Que montres-tu ainsi au Lièvre ?

– Je montre au Lièvre, dit l'Hyène, comment "chie" celui qui ne sait pas faire le départ[1] entre ce qu'il peut et ce qu'il ne peut pas et qui s'attaque inconsidérément à plus forte partie que lui...

– Que dis-tu, Hyène ? s'étonna le Lièvre.

– Je dis : sauvons-nous au plus vite avant que... Oh ! Encore !... »

1. **Faire le départ** : faire la différence..

Les Trois Pêcheurs bredouilles

Conte bambara

C'est un conte comme un autre...
Écoute-le, mon Frère. Et si l'envie t'en prend,
ris-en de toutes tes dents,
pleures-en de toutes tes larmes,
5 *ou médite et tires-en une leçon.*

Voilà bien longtemps, la Calamité[1] se répandit sur le monde. Elle s'empara de toute la terre. Humbles ou puissants, bêtes ou hommes, nul n'y échappa.

L'Hyène, chassée par la faim, rencontra le Chien au bord 10 d'une mare où un vieux bouc les avait devancés. Tous trois, pressés par un même besoin, n'avaient qu'une idée en tête : pêcher et manger.

L'Hyène s'attribua le commandement et dicta une loi : le produit de la pêche serait équitablement réparti, et cela sans autre 15 considération.

Les trois compagnons se mirent au travail. Ils passèrent de longues heures dans l'eau, mais la chance ne leur sourit point. L'Hyène se dit à elle-même : « Si nous n'attrapons rien, j'en serai quitte pour dévorer mes compagnons qui, après tout, ne 20 sont que des gens de mauvaise chance. » Ayant ainsi réglé la question, elle se mit à fredonner une chansonnette :

1. **Calamité** : grand malheur qui n'épargne rien ni personne.

Bonne ou mauvaise soit-elle,
la pêche, pour le Chef,
sera toujours fructueuse.
25 *Il ne rentrera pas bredouille :*
« Parent Chien » n'est-il pas là,
avec « Frère Bouc » à ses côtés ?

À ces paroles, le Chien comprit qu'en cas d'insuccès l'Hyène s'en prendrait soit à lui-même, soit au Bouc. Certain, quant
30 à lui, de pouvoir gagner son salut à la vitesse de ses pattes, il chanta, en réplique, le petit air suivant :

Sen tan,
Ô be sen tan louma !
Ô les sans-pattes
35 *ceci est pour vous, c'est sûr !*

Le Bouc, ainsi prévenu du danger qu'il courait, ne se troubla nullement. Il réfléchit un moment, puis chanta à son tour :

Kekouya !
Bè nika kekouya kokoï !
40 *Malice ! Chacun a sa malice qui va kokoï*● *!*

La pêche continua. À la fin de la journée, les trois compagnons n'avaient ramené que trois pièces : un gros poisson, un moyen et un petit.

● ***Kokoï*** **est une onomatopée qui évoque la marche du bouc. Il y a donc ici un jeu de sonorités avec le mot** ***kekouya*** **(« malice »).**

Ils s'assirent en cercle, leur prise devant eux. L'Hyène dit :

45 « Mon estomac est de beaucoup supérieur aux vôtres en capacité. Il faut en tenir compte dans le partage. »

Le Bouc – qui, en tant que « barbu● », avait été chargé de faire les parts – ne tint aucun compte du dire de l'Hyène.

« En ma qualité de Petit Vieux, dit-il, je vais m'inspirer de la

50 sagesse pour établir le partage de notre prise. Et rien de ce qui a trait à la capacité stomacale[1] respective des individus n'entrera en ligne de compte. Voici ce que je décide :

« Un : le plus gros poisson me revient parce que je suis votre Vieux et qu'il faut récompenser mon renoncement à tout com-

55 mandement temporel●.

« Deux : le poisson moyen, je l'attribue au Chien parce que tout effort mérite récompense ; or, le Chien a bien plongé.

« Trois : le petit poisson, je le destine, grossi de nos hommages, à notre cheffesse l'Hyène. Les chefs, c'est bien connu,

60 doivent être les moins gourmands s'ils veulent être obéis et fidèlement servis. »

Le Chien protesta :

« Si tu es conséquent avec toi-même, Frère Bouc, voici ce que tu dois faire :

65 « Un : me donner le plus gros poisson.

« Deux : garder le moyen pour toi.

« Trois : donner le plus petit, grossi de nos hommages, à notre cheffesse l'Hyène.

1. **Stomacale** : de l'estomac.

● **Le bouc est souvent assimilé à un petit vieux à cause de sa barbiche, la barbe étant symbole de sagesse.**

● **Le Bouc veut dire qu'il a renoncé à s'occuper des choses matérielles (temporelles) pour se tourner vers celles de l'esprit (la sagesse).**

– Assez ! hurla celle-ci. Je vais vous apprendre, citadins que
70 vous êtes, ce qu'est la loi de la jungle.

« Un : je prends le plus gros poisson, par le droit du plus fort.

« Deux : je garde le moyen pour vous punir de vouloir moraliser votre cheffesse et d'édicter des lois.

« Trois : je confisque aussi le petit poisson car je n'admets
75 pas qu'un herbivore de l'espèce du Bouc réclame une part de viande ; c'est là une prétention inouïe ! »

Ayant dit, l'Hyène se baissa pour ramasser les trois poissons. Mais avant qu'elle ait pu le faire, le Chien bondit comme un éclair, s'en empara et détala vers le village.

80 L'Hyène se lança à sa poursuite. Tous deux jouèrent convenablement des pattes, mais le Chien arriva le premier à la palissade du village. Apercevant une fente, il tenta de s'y faufiler, mais avant qu'il y soit parvenu l'Hyène l'avait rejoint et avait saisi l'une de ses pattes arrière.

85 Un chat vint à passer par-là. « Vite ! appela le Chien, tiens-moi mon paquet pour que je puisse dégager mon pied. » Puis, se tournant vers l'Hyène, il lui dit en ricanant : « Grosse bête, tu crois tenir ma patte, mais ce n'est qu'un pieu de la palissade que tu tiens là. » Aussitôt, l'Hyène lâcha prise pour attraper, cette fois,
90 un vrai pieu. Le Chien, tout heureux de l'avoir doublement trompée, se retourna vers le chat pour récupérer son paquet ; mais, hélas, le petit fripon avait déjà disparu avec les trois poissons !

Des moineaux qui avaient assisté à la scène adressèrent au Chien des condoléances moqueuses. L'aboyeur se posa alors
95 sur son arrière-train, rabattit ses oreilles et se mit à réfléchir sur sa mésaventure.

Soudain, il entendit une voix de l'autre côté de la palissade. C'était l'Hyène qui, déguisant sa voix, cherchait à l'attirer. Elle criait :

« *N goomi ye ! N goomi ye !* Galettes à vendre ! Galettes à
100 vendre ! »

Le Chien, arraché à sa méditation, aboya d'une façon saccadée :

« *Kolon tè ! Kolon tè* ! Pas de cauris[1] ! Pas de cauris !

– *Naa a ta diourou la !* Viens en emprunter ! fit l'Hyène.

– *Diourou magni ! Diourou magni !* Emprunter c'est mau-
105 vais ! Emprunter c'est mauvais ! répondit le Chien.

– *Naa a ta gansa !* Viens les prendre pour rien ! répliqua l'Hyène.

– *Taa wooota ! Taa wooota !* Va-t'en au loin ! Va-t'en au loin ! » aboya le Chien.

110 L'Hyène, obligée d'abandonner la partie, revint sur ses pas, espérant surprendre le Bouc dans quelque buisson. Arrivée au bord de la mare, elle ne vit personne. Du Bouc, elle ne perçut pas même l'odeur. En désespoir de cause, elle se décida à plonger une dernière fois pour tenter sa chance.

115 Après quelques allées et venues dans la mare, elle heurta un corps. Ce n'était pas un poisson. Ce corps était d'ailleurs si recroquevillé sur lui-même[2] et si couvert de boue qu'on ne pouvait l'identifier.

À tout hasard, l'Hyène dit : « Coquin ! Je te tiens et tu ne
120 m'échapperas pas cette fois-ci !

– Pour qui me prends-tu ? répliqua le recroquevillé. Tu paieras cher ton insolence !

– Je te prends pour le Frère Bouc de malheur qui me paiera cher sa traîtrise !

1. **Cauris** : coquillages qui servaient de monnaie dans certaines régions d'Afrique.
2. **Recroquevillé sur lui-même** : replié sur lui-même.

125 – Insensée ! Je suis le petit dieu descendu dans la mare pour protéger les poissons. C'est moi qui répands la pluie et déclenche la foudre !

– Si vraiment tu es le petit dieu, eh bien, arrose donc mon visage de pluie et envoie-moi la foudre en pleine face ! » s'ex-
130 clama l'Hyène.

À ces paroles, le Bouc – car bien entendu le recroquevillé c'était lui – aspergea l'Hyène d'une giclée d'eau, puis lui asséna un violent coup de cornes en plein visage.

L'Hyène, désemparée, s'enfuit au loin en hurlant :

135 « C'est un petit dieu, un petit dieu d'orage et de foudre ! Petit dieu ! Petit dieu ! Un dieu, même comprimé, est toujours terrible ! »

Le Bouc sortit de la mare. Précédé de sa barbe et suivi de sa queue, il reprit tranquillement le chemin du village, en marchant de son allure *kokoï ! kokoï ! kokoï !*

140 À sa droite, dans les branches d'un arbre, une tourterelle chanta :

Chez la gent non ailée,
ce sont les narines qui aspirent le tabac,
mais ce sont les yeux qui versent des larmes !

*

145 *Autrement dit, quand c'est l'un qui parle,*
c'est un autre qui profite...

La Révolte des bovidés ou le jour où les bœufs voulurent boire du lait

Légende peule (à peine) adaptée dans les termes, en fonction de certaines situations africaines… ou autres.

De par le vaste monde, en ces temps indéterminés où l'homme et les animaux parlaient un même langage, existait un certain pays recouvert de prés touffus et de grasses prairies, sillonné de rivières généreuses et intarissables, parsemé de col-
5 lines aux versants plus doucement abaissés que l'arrière-train de l'hyène fauve.

Chose étonnante, ce pays très grand et très beau n'était peuplé que de bovidés. Les vaches, beaucoup plus nombreuses que les mâles, étaient toutes très bonnes laitières. Quant aux taureaux,
10 ils portaient majestueusement au-dessus des épaules une protubérance pleine de graisse qui témoignait de leur opulence[1].

Le peuple bovin était administré par un roi. Celui-ci dirigeait bien les affaires de l'État. Il savait défendre ses sujets contre les fauves et contre les feux de brousse. L'étrange était que ce roi,
15 bien qu'animal au même titre que les bovidés, n'appartenait pas à la même espèce. Ce n'était pas un ruminant●. Il ne marchait

1. **Opulence** : grande richesse.

● **Les bovins sont des ruminants : ils *ruminent* l'herbe, c'est-à-dire que celle-ci remonte de leur panse et qu'ils la mâchent de nouveau pour pouvoir la digérer définitivement (voir l. 37-44).**

pas sur quatre pattes, mais sur deux, tout comme l'autruche, la reine des vertébrés ovipares[1]. Il différait cependant d'elle car son cou était moins long et sa tête plus grosse. Et tandis
20 que, comme chacun sait, le corps de l'autruche est couvert de plumes, le sien était orné, par-ci par-là, de poils plus ou moins longs et plus ou moins abondants.

Avez-vous deviné qui était ce roi ? Non ? Je m'en vais donc vous le dire : c'était l'Homme, cet être énigmatique qui, dit-on,
25 descend du singe et non d'Adam et Ève comme le veulent certains Livres sacrés ; cet être paradoxal qui, singe ou pas, aime plus que tout singer Dieu, cet anarchiste qui veut être obéi, cet ignorant de lui-même qui veut tout connaître autour de lui...

La légende ne dit pas comment les bovidés furent amenés
30 à se donner l'Homme comme chef, ni, surtout, où ils l'avaient déniché. Elle ne dit pas non plus si ce chef était l'Homme qui descend du singe ou celui qui descend d'Adam et Ève. Elle nous met devant un fait accompli et, comme on dit, quand l'hydromel[2] est déjà préparé, il ne reste qu'à le boire et à s'enivrer...

35 Le roi de l'État bovin avait pris son rôle à cœur et le jouait consciencieusement. Chaque matin, il emmenait son monde travailler au pâturage ; là, chacun faisait de la belle besogne à coups de dents, remplissant copieusement sa « panse-caisse » d'herbes ou herbacées grossièrement broyées. Puis, aux heures
40 de repos à l'ombre des grands arbres ou la nuit au « parc-village », toujours sous les yeux de leur roi, les bovidés, perdus dans leurs rêves paisibles, parachevaient le travail de la journée en mastiquant avec application et à plaisir le contenu remonté de leur panse.

1. **Ovipares** : qui se reproduisent par des œufs.
2. **Hydromel** : boisson fermentée fabriquée à partir du miel.

45 Tant que les bovidés se contentèrent de ce travail tranquille, broutant et ruminant à loisir, le lait coula abondamment dans les « calebasses-caisses » de l'État. Tout marchait à quatre pattes... autant dire tout allait à merveille !

Le roi engraissa. Ses fesses, ses joues et son ventre prirent 50 une envergure telle qu'elle aurait frappé même l'œil le plus myope[1].

Comme tout peuple de la terre qui se respecte, les bovidés se mirent à lorgner avec humeur l'opulence de leur roi. Un taureau plein d'ardeur, grand meneur de bovins, entreprit une 55 campagne en vue de modifier cet état de choses qu'il trouvait particulièrement injuste. Il harangua[2] les veaux et les génisses. Il finit par obtenir la réunion d'une assemblée où il décida, au nom des veaux, vaches, génisses et taureaux, de présenter au roi une réclamation.

60 « Pourquoi, clamait-il, notre roi est-il le seul à se nourrir de lait alors que nous devons nous contenter de brouter l'herbe des prairies ? Nous voulons qu'il nous nourrisse également de lait, tout comme lui-même. Sinon, ce sera la révolte jusqu'à ce qu'il soit déposé[3] purement et simplement ! »

65 Le lendemain de cette réunion mémorable, de bon matin, une manifestation monstre envahit le chemin qui menait chez le roi. La foule bovine avançait lentement, puissamment, beuglant[4] sa colère, agitant oreilles et queues comme pour chasser des mouches importunes. Les mâles dandinaient de la tête[5]

1. **Prirent une envergure telle [...] myope** : devinrent si gros que même un myope l'aurait vu.
2. **Harangua** : fit un discours solennel.
3. **Jusqu'à ce qu'il soit déposé** : jusqu'à qu'il soit destitué, c'est-à-dire qu'il ne soit plus roi.
4. **Beuglant** : criant (les verbes *beugler, meugler, mugir* désignent le cri des bovins).
5. **Dandinaient de la tête** : balançaient leur tête.

70 pour bien attirer l'attention sur leurs cornes pointues, redoutables et meurtrières armes de charge.

Le roi sortit sur le devant de sa demeure :

« Quel est le motif de cet attroupement ? demanda-t-il.

– Te présenter une revendication.

75 – Je vous écoute.

– Eh bien, roi ! Nous en avons assez de vivre d'herbe. Nous voudrions, comme toi, vivre de lait. Il faut nous pourvoir[1] de cet aliment ou tu ne seras plus notre chef. »

Le roi réfléchit un moment. Puis il dit :

80 « Mes amis, avez-vous bien pesé le pour et le contre de votre exigence, si j'y faisais droit ?

– Bien sûr que nous l'avons fait ! répliquèrent les bovins. Cesse de nous considérer comme des bêtes dépourvues d'intelligence qui ne savent que ruminer et non raisonner.

85 « Nous voulons du lait, et rien que du lait, parce que c'est un aliment complet. Grâce aux cinq vertus dont il a été doté par Allawalam[2], il assure la croissance de ceux qui débutent dans la vie et soutient, en réparant leurs forces, ceux qui sont au déclin de leurs jours. Les Peuls le classent en neuf catégories : trois qui

90 nourrissent, trois qui guérissent et trois qui rendent malade. Nous avons découvert l'efficacité du lait. Il ne saurait donc plus être question que tu nous maintiennes au régime herbivore quand toi-même tu te nourris de ce breuvage divin ! »

Le calme est un guide sûr qu'aucun labyrinthe ne saurait éga-

95 rer. Aussi le roi, devant cet événement imprévu, eut-il recours

1. **Nous pourvoir** : nous donner.
2. **Allawalam** : un des noms de Dieu (Allah).

au calme, ce qui lui permit de réfléchir et de trouver une solution. Il dit :

« Soit ! Je ferai droit à votre doléance[1]. Désormais je ne vous conduirai plus au pâturage. Vous resterez tous dans le parc et je vous nourrirai de lait. »

Les bovidés mugirent de plaisir. Le taureau meneur, cabré fièrement sur ses pattes postérieures, beuglait à tue-tête :

« Nous avons réussi ! Et au diable les imbéciles qui ont peur de réclamer pour établir leur droit ! La gent bovine[2] vient de remporter un succès éclatant contre l'injustice et la discrimination ! »

Pleinement satisfaits, vaches, taureaux, veaux et génisses regagnèrent la « cité-parc », accompagnés de Monsieur Chien, chef de l'état-major de l'État bovin. Ce dernier, en son for intérieur[3], demeurait sceptique et goguenard●. Pour lui, les bovins n'avaient pas les pieds sur terre ; ils prenaient leurs rêves pour la réalité.

Quand vint le soir et que le soleil s'inclina fortement vers le couchant, troquant son éclat vif-argent contre un doux rayonnement jaune d'or plus agréable à l'œil, le roi sortit et se dirigea vers le parc, muni d'une grosse écuelle en bois creusée dans un tronc d'arbre.

Il donna ordre au chien de rassembler toutes les vaches laitières. Alors, retroussant les pans de son boubou[4], il procéda à la traite de la première vache. Il partagea le lait ainsi obtenu en quatre parts : il garda pour lui et pour subvenir aux charges de

1. **Doléance** : réclamation.
2. **La gent bovine** : l'ensemble des bovins.
3. **En son for intérieur** : à l'intérieur de lui-même.
4. **Boubou** : longue et ample tunique portée traditionnellement en Afrique.

● **« Sceptique » signifie « qui ne croit pas à », « qui doute de », et « goguenard » signifie « moqueur ». Monsieur Chien, qui ne croit pas à la réussite du projet du lait, se moque des bovins.**

l'État la première part ; il fit boire la seconde à la vache-mère et servit la troisième au veau qui attendait. La quatrième part revint au reste du troupeau. Il fit ainsi le tour du parc, agissant pour chaque laitière comme il l'avait fait avec la première vache-mère.
125 En fin de compte, les taureaux n'eurent presque rien à boire.

Le deuxième jour, le roi procéda de la même manière. Le troisième jour, le cheptel[1] mâle mourait presque de faim. Et les quantités de lait fournies diminuaient. Les taureaux se mirent à gémir : « Malheur à nous, nous allons tous périr ! »

130 Devant cette situation, le roi intervint. Il dit :

« Je n'ai fait qu'obtempérer[2] à votre demande. D'où voulez-vous que je tire du lait, sinon du pis des vaches ? Quant à vous, taureaux, vous n'avez presque rien reçu parce que vous n'avez rien donné. »

135 Après réflexion, les bovidés révisèrent leur position. Ils demandèrent au roi la permission de reprendre le chemin du pâturage.

*

Un chef n'est pas une vache laitière, mais un berger qui doit savoir mener les laitières au pré.

140 *Si les administrés veulent que le roi soit juste, ils doivent savoir quoi lui demander car, en fin de compte, c'est d'eux-mêmes que le roi tirera ce qu'ils exigeront.*

1. **Cheptel** : bétail.
2. **Obtempérer** : obéir.

Satan et la « Foire-Catastrophe »

Conte peul

Un jour néfaste[1] – c'était le dernier mercredi du mois lunaire – Miandafou apprit qu'une Foire-Catastrophe allait se tenir au pied du coteau rouge, dans la plaine dite des « fous-lucides ». Il résolut d'y assister, curieux de savoir quelles sortes de marchandises y seraient offertes ; curieux, aussi, de voir qui serait assez malavisé[2] pour se rendre à pareille foire où, sans nul doute, ne pourraient s'acquérir que malheurs, malchances et autres calamités[3] ! Arrivé très tôt sur les lieux, il se cacha dans le creux d'une termitière qui s'élevait tout près de la place du marché.

Le soleil prit peu à peu de la hauteur dans le ciel. Bientôt, telle une fournaise ardente, il répandit partout une chaleur infernale.

Miandafou attendait depuis des heures, et il ne voyait toujours personne venir. Tout à coup, il vit s'élever dans l'atmosphère, au-dessus de la place, un immense nuage de poussière, comme si toute une armée montée[4] manœuvrait sur les lieux. Il se demanda ce qui pouvait soulever cette étrange poussière, car il avait beau écarquiller les yeux, il ne voyait personne.

1. **Un jour néfaste** : un jour de malchance.
2. **Malavisé** : stupide.
3. **Calamités** : catastrophes.
4. **Une armée montée** : une armée à cheval.

Les termites (n. m.) sont des insectes qui ressemblent à de grosses fourmis. Ils fabriquent des termitières, constructions en terre pouvant atteindre plusieurs mètres de haut et se poursuivant dans le sol par de nombreuses galeries.

C'est alors qu'un lézard sortit sa tête d'un petit trou creusé au flanc de la termitière. Il dit : « Ô Miandafou ! Trouve-moi une sauterelle et je te donnerai le moyen non seulement de voir la foire, mais d'approcher son organisateur et de lui parler. »

Miandafou ne mit pas longtemps à trouver une sauterelle. Il la remit au lézard. Celui-ci l'éventra et la mangea, après quoi il cracha une goutte de salive dans la main de Miandafou.

« Frotte-t'en l'œil gauche en te servant de ton auriculaire gauche, lui dit-il, et tu verras ce que tu verras. »

Miandafou s'exécuta sans se faire prier. À peine avait-il fini de se frotter l'œil gauche qu'il discerna, assis au milieu de la place, un être d'apparence humaine, quoique difforme et extrêmement bizarre. Son menton était orné d'une barbe de bouc. Une queue-de-cheval pendait au bas de son dos et il se tenait sur une jambe unique en forme de spirale, que terminait un sabot de cochon sauvage. Non loin de lui, Miandafou aperçut trois énormes tas de marchandises, constitués chacun d'un grand nombre de paquets.

Cet être bizarre à la barbe de bouc – et qui n'était autre qu'une incarnation de Satan[1] ! – se déplaçait d'un tas de marchandises à l'autre en tournoyant sur sa jambe spiroïdale[2], tel un tourbillon d'air. C'était d'ailleurs ce qui soulevait le nuage de poussière. De temps en temps il regardait autour de lui, l'expression un peu inquiète, comme quelqu'un qui a donné un rendez-vous et qui ne voit pas venir à l'heure celui qu'il attend.

Miandafou avança et s'approcha tout près de Satan. Celui-ci, fort étonné de le découvrir tout à coup à ses côtés, s'écria avec colère :

1. **Satan** : un des noms du diable.
2. **Spiroïdale** : en forme de spirale.

« Comment as-tu fait pour rompre le charme qui me soustrait à la vue des mortels ? Ne serait-ce pas un certain petit lézard de la termitière grise qui t'a procuré, moyennant une sauterelle, une goutte du philtre[1] qui permet de me voir et de m'approcher ? Ah ! Quel traître ! »

Au lieu de répondre à la question de l'unijambiste, Miandafou l'interrogea à son tour :

« Peux-tu me dire, homme étrange, quelle est cette bizarre Foire-Catastrophe et quelles marchandises tu espères y vendre ?

– Ô Miandafou ! fit le diable. Je suis venu à cette foire afin d'y vendre trois sortes de marchandises. Selon leur espèce, elles sont assemblées dans les trois tas que tu vois là.

– Sans doute, je vois bien les trois tas, mais tu ne m'as pas dit de quelles marchandises il s'agit. Ce qui m'étonne, c'est que je ne te vois les offrir à personne, et personne non plus ne vient t'en demander le prix, ne serait-ce que par curiosité.

– C'est que tout le monde ne me voit pas ! fit le diable. Et puis mes marchandises ne sont pas des articles courants à l'usage du commun. Ce premier tas que tu vois contient *l'ingratitude,* la propension à ne jamais savoir gré[2] de rien à personne. Le deuxième contient *l'envie,* plus exactement le déplaisir que l'on éprouve à voir un autre réussir. Enfin le troisième contient *l'obstination butée* et tout ce qui pousse un homme à braver par orgueil un péril sans nécessité réelle.

– Alors, tu risques de faire de mauvaises affaires ! s'exclama Miandafou en riant. Je ne vois pas, en effet, qui serait assez

1. **Philtre** : potion magique.
2. **La propension à ne jamais savoir gré** : la tendance à ne jamais être reconnaissant.

imbécile pour t'acheter de tels articles, aussi peu recommandables les uns que les autres !

– Détrompe-toi, fit le diable. Mes marchandises sont retenues par avance. Avant longtemps, tu verras des acquéreurs très distingués venir en prendre possession. »

En effet, quelques instants plus tard, une femme élégamment parée[1], accompagnée d'une foule de serviteurs, se présenta : « Bonjour, Longue-Barbe, dit-elle, je viens prendre livraison de mon achat. »

Marché de Dounjourou, Mali.

1. **Parée** : portant de beaux vêtements et des bijoux.

Satan désigna le premier tas : « Vérifie s'il ne manque rien et enlève le tout. »

La belle dame examina minutieusement les paquets, les déclara complets et en parfait état et les fit enlever, non sans avoir remercié Satan comme il se devait. Puis elle s'en alla.

Après son départ, un vénérable marabout, entouré de ses adeptes[1], avança vers l'étalage. « Je viens chercher mon emplette », dit-il. Satan lui désigna le second tas. Le marabout examina soigneusement les paquets et les fit charger par ses adeptes. Comme la femme, il remercia chaleureusement Satan de ses bons offices[2], puis s'en retourna.

Enfin, beaucoup plus tard arriva un grand roi, accompagné d'une suite nombreuse. Il réclama sa commande à Satan, qui lui désigna le dernier tas de paquets. Le roi fit tout enlever par ses serviteurs, présenta ses compliments au diable et s'éloigna.

Quand la place fut redevenue vide, Satan se tourna vers Miandafou :

« Toi qui m'as vu vendre ces calamités, si tu veux connaitre l'usage qui en est fait, va et parcours la terre. En maints endroits tu verras la femme emplie d'ingratitude, n'éprouvant de reconnaissance envers son époux que d'une façon accidentelle ; quoi qu'il fasse pour elle, elle trouvera qu'il aurait pu en faire davantage ; et si quelque différend les sépare[3], elle ne citera que le mal commis contre elle, jamais les bienfaits reçus.

1. **Marabout** : en Afrique, homme sage et savant, à qui l'on prête des pouvoirs magiques (prédire l'avenir, guérir les malades) ; **adeptes** : personnes qui l'accompagnent et suivent ses enseignements.
2. **Ses bons offices** : ses services.
3. **Si quelque différend les sépare** : si une dispute quelconque les sépare.

105 « Quant à la plupart des marabouts, le déplaisir qu'ils éprouvent à voir un de leurs confrères réussir dépasse toute imagination ! L'envie qu'ils ont achetée ici les pousse à se dresser les uns contre les autres, fût-ce au détriment de la Vérité divine et de l'épanouissement spirituel du genre humain.

110 « Enfin, partout et en tout temps tu verras des chefs s'obstiner à vouloir dominer et imposer leur volonté autour d'eux, quand ils ne voudront pas, même, plier la nature à leur bon plaisir ! Pour réussir, ils useront aussi bien de la force et de la ruse que de la flatterie ou de la traîtrise. S'ils échouent, au lieu 115 de se plier à la nature des choses, ils s'entêteront, et pour finir, par pure bravade, ils déclencheront eux-mêmes ce qui causera la fin de leur règne ! »

*

Ainsi parla Satan, qui devait savoir à quoi s'en tenir sur la nature humaine. Mais n'a-t-on pas vu, même dans un fruit pourri, subsister 120 *une petite parcelle de chair pure ? Il n'y a donc pas lieu de généraliser. Dieu merci, bien des femmes de ce monde n'ont pas consommé la marchandise achetée à la foire de Satan par leur représentante allégorique, et bien des marabouts ou des chefs temporels non plus.*

Les chefs soucieux de faire régner la paix et la justice, les femmes 125 *de bien et les vrais Hommes de Dieu, dévoués à la cause de la Vérité-Une, symbolisent, sur un autre plan :*

– la Loi juste qui organise la cité du Bonheur,

– la Voie qui mène à la multiplication heureuse,

– la Vérité qui fait s'épanouir l'Amour et la Charité entre les 130 *hommes.*

La Poignée de poussière

Conte peul

Dans un village vivait un homme riche à jeter l'argent par la fenêtre, et qui aimait à se tenir sur le devant de sa maison. Il remarqua que, chaque matin, un pauvre homme passait devant sa porte : il allait dans la brousse ramasser du bois mort qu'il revendait ensuite pour nourrir sa famille.

Un beau jour, le richard dit au pauvre : « Chaque jour, je te vois passer devant ma porte. Ta pauvreté me fait pitié. Désormais, viens chaque matin me demander l'argent nécessaire aux dépenses de ta famille ; ainsi tu n'auras plus besoin d'aller en brousse chercher du bois mort. »

Le lendemain matin, le chercheur de bois se présenta devant le richard, le salua et attendit.

« Combien te faut-il pour la journée ? demanda le richard en mettant la main dans sa poche.

– Donne-moi une poignée de poussière, cela suffira largement », répondit le pauvre.

Le richard, bien que surpris et déconcerté[1], se baissa, ramassa une poignée de poussière sur le sol et la donna à son obligé●. Celui-ci le remercia comme s'il venait de recevoir une poignée de métal précieux, puis, comme de coutume, partit à son travail.

1. **Déconcerté** : perplexe.

● **« Être l'obligé » de quelqu'un signifie lui devoir quelque chose. Ici, le pauvre homme est l'obligé du richard qui a accepté de lui faire l'aumône.**

Le lendemain matin, le pauvre homme s'arrêta devant la porte du richard et lui demanda à nouveau une poignée de poussière. Le richard la lui donna.

Les choses continuèrent ainsi quelques mois, sans façon ni problème. Puis, un beau matin, lorsque le marchand de bois mort se présenta pour demander sa poignée de poussière, le richard lui rétorqua avec humeur :

« Écoute, mon ami ! Si tu veux ta poignée de poussière, donne-toi la peine de te baisser et de la ramasser toi-même. Tu me fatigues, à la fin ! »

À ces paroles, notre ramasseur de bois éclata de rire.

« Ô homme riche ! s'exclama-t-il. Te voilà excédé par le simple fait de me donner une poignée de poussière qui ne te coûte que la peine de te baisser pour la ramasser. Qu'adviendrait-il si chaque matin je venais tendre la main pour recevoir de toi une pièce d'argent ?...

« Laisse-moi donc gagner la vie de ma famille par moi-même. La sueur de mon front ne sera jamais importunée par ce qu'elle me donne chaque jour, mais tout autre qu'elle le sera tôt ou tard. »

*

Le mot « Tiens ! » finit toujours par lasser celui qui le dit. Bien que dépourvu de poids physique, il pèse lourd s'il est dit trop longtemps.

Pourquoi les couples sont ce qu'ils sont…

Légende peule

Savez-vous pourquoi l'homme de bien est souvent l'époux d'une femme sans mérite et la femme vaillante l'épouse d'un bon à rien ? C'est là un fait que nous constatons, mais dont les causes nous échappent. La légende peule, elle, nous en explique les raisons.

5 Quand Dieu eut fini de créer le genre humain, il distribua les vertus et les défauts chez les hommes comme chez les femmes.

Un jour, il fit venir auprès de lui toutes les femmes. Il leur dit : « Ô Femmes ! Regardez à l'horizon et dites-moi ce que vous voyez.

10 – Seigneur, répondirent-elles, nous voyons un soleil radieux se lever sur la terre. Toute chose semble fêter son apparition. Au fur et à mesure qu'il s'élève droit dans le ciel, tout ce qui paraissait en train de mourir renaît à la vie. »

Dieu dit :

15 « Femmes ! Jusqu'ici vous n'avez connu que des moments pénibles dans la nuit des temps. Maintenant, il va falloir vous mettre en route pour aller au Paradis. Des anges veilleront sur vous tout au long du chemin ; d'autres vous recevront à votre arrivée. Pas de découragement, pas de gémissements, et sur-
20 tout pas de défaillance !

« J'ai été, je suis et je serai toujours Celui qui avertit. Aussi je vous annonce que des appartements somptueux et des bijoux

d'une beauté incomparable vous seront distribués suivant l'ordre de votre arrivée. Les premières d'entre vous seront les
25 mieux dotées[1] ; elles auront la préséance[2] en toutes choses. Je vous rappelle que le Paradis est un séjour éternel... seules les plus insensées d'entre vous se laisseront devancer.

« Ainsi averties, partez, ô Femmes, à la recherche de votre bonheur... »

30 Les femmes prirent la route. Leur longue cohorte[3] s'étira et se mit à couler comme un bras de fleuve dont le cours va se rétrécissant. Les plus vaillantes conduisaient la file. Les anges se mirent à chanter pour elles.

Au terme du troisième jour, les indolentes[4] n'en pouvaient
35 déjà plus. « À quoi bon envier la gloire des "marcheuses" » ? murmuraient-elles. Qui sait, au demeurant[5], le sort qui sera réservé aux premières arrivées ? Le Paradis est aussi vaste que l'ensemble des cieux. Les demeures[6] y sont aussi nombreuses que les grains de sable de tous les fleuves et de tous les rivages
40 réunis. Ne dit-on pas que, superposées les unes au-dessus des autres, ces demeures commencent aux abîmes et finissent presque au sommet du firmament[7] ?

Pourquoi donc courir et faire perdre à nos cuisses leur moelleuse rondeur ? Pourquoi suer et empuantir notre corps ?
45 Allons doucement, mes sœurs, et conservons notre fraîcheur.

1. **Les mieux dotées** : celles qui recevront les meilleures parts.
2. **Auront la préséance** : seront prioritaires.
3. **Cohorte** : file.
4. **Indolent, indolente** : qui n'aime pas se fatiguer, se donner de la peine.
5. **Au demeurant** : d'ailleurs.
6. **Demeures** : maisons, habitations.
7. **Firmament** : ciel, voûte céleste où apparaissent les étoiles.

Quand nous parviendrons au Paradis, il y aura toujours une demeure pour chacune d'entre nous. Et même si les premières sont logées dans des pièces somptueuses, la marche forcée aura fait fondre leur chair. Leur aspect squelettique ternira la beauté 50 de leurs demeures et le brillant de leurs parures. »

Ayant ainsi parlé, les femmes indolentes se mirent à traîner le pas comme des canes[1] trop grasses. Pour soutenir leur marche de caméléon fatigué, elles entonnèrent un chant :

Pourquoi nous presser, pourquoi nous lamenter ?
55 *Pourquoi pousser des cris ? Oui, pourquoi ?*
Qui va vers le Paradis
ne va point vers une terre aride
où l'hyène s'empare du cabri,
où le chat de brousse pille la basse-cour.

60 *Paressons sur le chemin,*
interrogeons les tables des Cieux●.
Nous saurons que la question énigmatique :
« Qu'est-il arrivé ? »
a été posée à l'intention des femmes qui courent
65 *comme court une biche pour échapper au chasseur.*
Paressons sur le chemin,
interrogeons les tables des Cieux...

Trois jours après le départ des femmes, Dieu dit : « Voilà trois soirs et trois matins que les femmes sont en route. Lan-70 çons leurs mâles après elles. »

1. La **cane** est la femelle du canard.

● **Les « tables des Cieux » désignent les tablettes où sont écrites toutes choses. Il s'agit donc des archives du ciel.**

Dieu fit alors venir l'ensemble des hommes. Il leur dit :

« Il n'est pas bon qu'un mâle demeure sans femelle. Aussi ai-je créé à votre intention des compagnes. Elles sont déjà parties en direction du Paradis. Elles ont trois soirs et trois matins d'avance sur vous, mais je vais vous rendre trois fois plus vigoureux qu'elles et vous vous lancerez à leur poursuite.

75

« Chacun d'entre vous, ajouta Dieu, aura pour épouse la femme qu'il trouvera sur sa route, et il ne pourra en avoir qu'une. Ceux qui traîneront en chemin risquent donc de rester

Couple de la tribu Karo, Éthiopie.

80 sans compagne. Ce sera tant pis pour eux. Je les condamnerai au célibat[1], ils ne connaîtront ni la joie du foyer ni le privilège de la procréation, ils ne seront pas des agents continuateurs de leur espèce●. La semence que j'ai placée en eux y demeurera comme un grain desséché. Je renfrognerai mon visage pour 85 eux, ils en seront fort accablés... »

Les hommes prirent la route. Ils avançaient en chantant :

Chaque être a une origine, chaque métal a une mine, chaque fait a une cause.
Si Guéno[2], l'Éternel, nous met sur le chemin
90 *qui mène à nos épouses,*
à cela il est une cause.

Celles qui seront nos femmes
sont, dit-on, belles et bien faites.
Elles sont passionnées sans dévergondage
95 *et passionnantes sans perversion.*
Elles mettront fin à la peine
qui enténèbre nos cœurs.

Allons, marchons avec vigueur vers le Paradis !
Nous y trouverons nos épouses,
100 *nous y vivrons dans la sagesse !*
L'Intelligence divine s'y élève
comme une montagne gigantesque
dont on extrait des métaux précieux
pour orner le front des vaillants et des sages.

1. **Au célibat** : à rester célibataires, c'est-à-dire à ne pas se marier.
2. **Guéno** : un des noms de Dieu.

● **Être célibataire est très mal vu en Afrique. L'homme qui n'est pas marié n'est pas considéré comme un véritable adulte, car il ne peut pas avoir d'enfant et ne peut donc pas perpétuer sa famille.**

105 *Allons, marchons avec vigueur vers le Paradis !*
Nous y vivrons dans la sagesse,
dans la sagesse, dans la sagesse !...

Après quelques heures de trajet, les hommes se divisèrent en trois groupes :
110 – les Hammadi-Hammadi en tête ;
– les Hammadi au milieu ;
– les Haman-ndof à la queue●.
Les femmes, elles aussi, s'étaient réparties en trois groupes :
– les Mantaldé en tête ;
115 – les Santaldé au milieu ;
– les Mantakapous à la queue●.

Le groupe des Hammadi-Hammadi, composé d'hommes brillants, sages, entreprenants et courageux, tomba sur le groupe des Mantakapous, c'est-à-dire les dernières des femmes
120 dans l'ordre de la valeur féminine. Ignorant que les femmes supérieures étaient en avant, ils choisirent leurs épouses parmi les Mantakapous.

● **On appelle « Hammadi-Hammadi » un homme de grande valeur, pour sa famille, son quartier et son pays tout entier. Le « Hammadi » est un homme de valeur, pour sa famille et son quartier. Le « Haman-ndof », quand il s'absente, même sa famille ne s'aperçoit pas qu'il est parti...**

● **C'est la même chose pour les femmes : une « Mantaldé » est une épouse aux grandes qualités, qui peut tout faire par elle-même, gagner la vie de la famille et remplacer son mari. Une « Santaldé » est une excellente mère de famille, mais elle ne fait rien et ne gagne rien par elle-même. Quant à la « Mantakapou », non seulement elle ne sait rien gagner par elle-même, mais elle se plaint constamment et ne fait rien de bon.**

Les Hammadi, groupe des hommes moyens, tombèrent sur les Santaldé, femmes également moyennes quant à la valeur. Ils 125 prirent leurs épouses parmi elles.

Pendant ce temps les Mantaldé, femmes de grande valeur, avaient devancé leurs compagnes des deux premiers groupes et étaient déjà parvenues aux portes du Paradis. Des anges vinrent les saluer et leur présenter des souhaits de bienvenue. 130 Quand elles voulurent franchir le seuil, les anges les arrêtèrent : « Pardon, Femmes, mais vous êtes encore des “moitiés”. Or une moitié est quelque chose d'incomplet, donc d'imparfait, et l'imparfait n'a pas de place au Paradis. Attendez que chacune d'entre vous ait un mari pour se compléter. Alors vous entrerez 135 par couples, c'est-à-dire par unités humaines parfaites. »

Avant que les femmes soient revenues de leur surprise, les Hammadi-Hammadi se présentèrent, accompagnés de leurs épouses les Mantakapous. Les anges s'écrièrent : « Quel mystère ! Sont-ce celles-là que Dieu vous a réservées pour compagnes ? »

140 Les Hammadi arrivèrent à leur tour, flanqués des Santaldé.

Enfin les Haman-ndof, les derniers des hommes, parvinrent aux portes du Paradis, les mains vides. Force fut aux femmes supérieures Mantaldé de se donner à eux pour pouvoir entrer dans le Séjour céleste.

145 Et voilà comment les premiers des hommes eurent en partage les dernières des femmes, et comment les premières des femmes tombèrent aux mains des derniers des hommes !

Une fois dans le Paradis, les hommes supérieurs vinrent se plaindre à Dieu. En accord avec les premières des femmes, ils 150 réclamèrent une réparation. Dieu dit :

« Je ne refuse pas un droit à celui qui le mérite. Mais l'intelligence de mes actes n'est pas toujours à votre portée.

« Femmes vaillantes classées bonnes premières, acceptez de bon cœur les hommes de peu de valeur. Et vous, hommes distingués, souffrez à vos côtés les femmes paresseuses et vulgaires. J'en ai décidé ainsi par sagesse et prescience[1]. Si je mettais toutes les valeurs d'un côté et toutes les non-valeurs de l'autre, les affaires du monde iraient de travers, comme une charge mal répartie sur le dos d'un bœuf porteur. Il n'y aurait ni équilibre ni stabilité. À chaque tournant, les charges bascule-raient d'un seul côté et votre univers serait encore plus difficile à diriger qu'il ne l'est présentement.

« Tels que vous vous trouvez accouplés, les hommes valeureux empêcheront les femmes indolentes de tomber dans des mains dures qui ôteraient toute souplesse à leurs paupières●, et les femmes dignes et sages serviront de refuge aux hommes diminués auxquels elles sont unies par le mariage.

« J'ai tout réglé selon une mesure dont je suis seul à connaître le mystère.

« Ne vous ayez plus en haine. Ne vous repoussez pas les uns les autres sous prétexte que vos valeurs et vos états sont inégaux.

« Aimez-vous les uns les autres, surtout entre femme et mari. Et proclamez que parmi les choses qui me plaisent, à moi Dieu, l'entente parfaite entre époux figure au premier rang ! »

1. **Par prescience** : parce que je sais tout par avance.

● **Les hommes de grande valeur protégeront les femmes, ils les empêcheront de tomber dans les mains d'hommes méchants qui les feraient pleurer.**

LE DOSSIER

***La Révolte des bovidés* et autres contes de la savane**

Sept contes venus d'Afrique

REPÈRES

PARCOURS DE L'ŒUVRE

TEXTES ET IMAGE

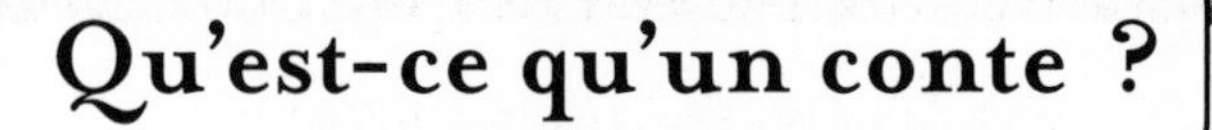

Qu'est-ce qu'un conte ?

Les contes existent depuis la nuit des temps et dans tous les pays du monde. Ils se sont transmis oralement de génération en génération, avant d'être fixés par écrit. Ils sont ainsi arrivés parmi nous. Ce genre est toujours très vivant : certains auteurs écrivent encore aujourd'hui des contes modernes. Même s'ils ont des origines différentes, tous les contes se ressemblent plus ou moins, car ils possèdent des éléments caractéristiques.

● LE SCHÉMA NARRATIF*

La plupart des contes commencent par la formule « Il était une fois... », c'est-à-dire par la description du cadre spatiotemporel*. Ce cadre est vague, indéterminé : l'histoire se passe « il y a longtemps » et « dans un pays lointain », comme dans *Les Trois Pêcheurs bredouilles*. On décrit aussi la situation dans laquelle se trouvent les personnages : c'est la situation initiale.

C'est-à-dire le lieu (spatio) *et le moment* (temporel) *où se déroule l'histoire.)*

Un élément déclenche l'histoire : « Un beau jour... », permettant au héros de partir à l'aventure ou de poursuivre l'objectif qu'il s'est fixé. C'est ainsi que Zan Donso part à la chasse et que commence son aventure.

Les péripéties s'enchaînent alors : épreuves diverses, missions impossibles... Le héros finira très souvent par atteindre son but malgré les difficultés.

Une péripétie *est un événement imprévu et rapide qui vient modifier le cours de l'histoire racontée*

À la fin du conte, la situation a évolué. La plupart du temps le héros est récompensé et ses ennemis sont vaincus : l'auditoire doit faire la différence entre le Bien et le Mal, le vice et la vertu...

● LE REGISTRE MERVEILLEUX

L'univers du conte se situe en dehors du monde réel. Le conte comporte donc de nombreux éléments merveilleux* ou magiques. Par exemple, les

Des répétitions symboliques

Dans les contes, le même épisode se répète souvent plusieurs fois. Ces répétitions jouent un rôle important : elles permettent à celui qui raconte de mieux retenir l'histoire, et à celui qui écoute de savourer des épisodes qui se ressemblent mais qui pourtant sont différents. Par exemple, dans L'Hyène et le Lion endormi, *l'Hyène provoque le Lion trois fois et elle sera elle-même mise à l'épreuve trois fois par le Lièvre.* Les Trois Pêcheurs bredouilles *chantent tour à tour une petite chanson au cours de leur pêche. Et dans* La Révolte des bovidés, *le roi doit partager le lait trois fois avant que les bœufs ne comprennent l'erreur qu'ils ont faite.*
Le chiffre 3 est un symbole dans toutes les civilisations : il évoque la perfection. C'est pourquoi on le retrouve dans de nombreux contes ou récits* (Les Trois Cheveux d'or du diable, Les Trois Petits Cochons...). *Le chiffre 7 est lui aussi un symbole de perfection (*Blanche-Neige et les sept nains, *les bottes de sept lieues et les sept enfants dans l'histoire du* Petit Poucet)...

nimaux parlent et agissent comme les humains : le Loup du *Petit Chaperon ouge*, le Chat dans *Le Chat botté* utilisent la parole. Parfois, les personnages ont des comportements inhabituels : ainsi, dans *Les Trois Pêcheurs redouilles*, le Bouc peut rester caché dans l'eau jusqu'à ce que l'Hyène rrive, afin de lui décocher un coup de sabot.
.es personnages utilisent des objets enchantés, comme des poudres ou es potions magiques (dans *Le Chasseur et son cordonnier*), de la salive qui ermet de voir l'invisible (comme dans *Satan et la Foire-Catastrophe*)...

UNE LEÇON DE VIE

.es contes sont surtout destinés aux enfants qui apprennent, en écoutant ne histoire qui leur plaît, les principes et les règles de la vie en société. haque conte est ainsi porteur d'un enseignement : celui qui désobéit risque n châtiment, on peut surmonter des épreuves si on est opiniâtre et courageux, etc. Certains contes sont suivis d'une moralité*, tout comme les ables*, ou les paraboles* que l'on retrouve dans les textes fondateurs.

Qui sont les personnages des contes ?

Les contes mettent en scène des personnages que l'on retrouve souvent d'un récit à l'autre. En effet, même s'ils portent des noms différents, même s'ils ne se ressemblent pas dans tous les détails, ils ont en commun de nombreuses caractéristiques.

• DES PERSONNAGES HORS DU COMMUN

Les personnages des contes sont souvent des êtres qui vivent dans un univers très éloigné du monde réel : rois et princesses, géants, ogres ou dragons…
Ils représentent surtout des fonctions : la plupart du temps on ne connait pas leur nom, ils sont appelés par exemple « le roi » ou « le fils du meunier ».
Ils peuvent aussi être désignés par une caractéristique : c'est ainsi qu'on dit « le Petit Chaperon rouge » ou « Cendrillon ».
Les personnages animaux sont considérés comme des humains ; ils symbolisent des qualités ou des défauts, des dangers dont il faut se méfier (par exemple, le Loup qui veut manger le Petit Chaperon rouge).

Le Petit Chaperon rouge tire son nom du capuchon rouge dont elle est coiffée ; Cendrillon, des cendres de la cheminée qu'elle doit nettoyer.

Ce sont surtout les actions extraordinaires ou les aventures vécues par les héros qui sont importantes dans l'histoire.

• DES HÉROS PETITS MAIS RUSÉS

Les héros des contes ont des qualités exceptionnelles, mais qui n'apparaissent pas immédiatement. La plupart du temps, au début de l'histoire, le héros est présenté comme petit, faible, maltraité par d'autres personnages plus forts que lui. Mais il a d'autres qualités qui vont lui permettre de triompher : il est souvent intelligent et généreux, agile et rusé… Il compense donc sa faiblesse physique par ses qualités morales ou mentales. C'est ainsi que, malgré sa petite taille, le Petit Poucet réussit à vaincre l'Ogre.
Le lecteur s'identifie au héros* qui devient le symbole* de sa propre réussite

Quelles sont les spécificités du conte africain ?

Les contes africains ressemblent beaucoup à ceux des autres civilisations. Cependant, le cadre des histoires évoque souvent la brousse et la savane, et les personnages animaux sont des lions, des hyènes, des rhinocéros ou des serpents…

• LES GRIOTS

Avant d'être transcrits, les contes étaient racontés dans les villages par des poètes musiciens appelés griots, dont c'était le métier. Chaque grande famille possédait son griot ou *djéli*, chargé de transmettre oralement les traditions et les valeurs de la société africaine. La fonction de griot (ou de griotte s'il s'agissait d'une femme) était donc très importante.
Aujourd'hui encore, le griot est un personnage très respecté, gardien des traditions. Il est considéré comme « le sang qui transporte la vie » et fait partie des « stars » de la chanson moderne en Afrique.

• L'INFLUENCE DES CONTES

En Afrique, une même personne entend plusieurs fois le même conte au cours de sa vie. La plupart des gens connaissent donc ces récits dans les moindres détails.
Chacun en tire les enseignements qui peuvent lui servir. Lorsqu'il est petit, l'enfant est distrait par le conte. En le racontant à son tour, il apprend à manier le langage et commence à réfléchir. Au fur et à mesure qu'il grandit, il comprend mieux les règles morales et les leçons transmises par le conte.

Le conte en musique

Les griots accompagnent souvent leurs récits de musique. Ils utilisent surtout des instruments à cordes : le riti *(petit violon à une corde) et la* kora *(calebasse munie de 21 cordes, que le griot tient sur ses genoux). Ils jouent aussi du* balafon, *sorte de xylophone formé de lames de bois très sec et de calebasses.*

Étape 1 • Entrer dans le monde du conte

SUPPORT • Incipit* de *Le Chasseur et son cordonnier ou le comble de l'ingratitude* (conte bambara), jusqu'à : « Le jeune homme se désaltéra, puis il poursuivit son chemin » (p. 14, l. 69).

OBJECTIF • Étudier les marques du conte.

As-tu bien lu ?

1 Qui sont Zan Donso et Soridian ?
☐ deux filles
☐ deux garçons
☐ une fille et un garçon

2 Que trouve Zan Donso au fond du puits ?
☐ trois vieilles femmes
☐ trois animaux
☐ trois pièces d'or

3 Quel objet Zan Donso a-t-il emporté avec lui ?

4 À quoi cet objet va-t-il lui servir ?

La situation initiale*

5 Dans quel lieu se déroule l'action ? Peux-tu dire exactement où est situé ce lieu ?

6 À quel moment cette histoire se passe-t-elle ?

7 Cite la phrase du texte qui t'a permis de répondre à la question précédente : à quelle formule habituelle dans les contes ressemble-t-elle ?

8 Complète le tableau de la page suivante en indiquant ce que tu as appris des deux personnages.

Zan Donso	Soridian
C'est le fils d'un	....
....	....
....	....
....	....

En quoi se ressemblent-ils ? En quoi sont-ils différents ?

Un univers merveilleux*

9 Pourquoi les trois animaux au fond du puits sont-ils extraordinaires ?

10 Pourquoi le jeune homme hésite-t-il avant d'aider les trois animaux ? Pour quelle raison décide-t-il finalement de les tirer d'embarras ?

11 Comment se termine cette première partie de l'histoire ?

La langue et le style

12 « Le plus puissant des quadrupèdes » : c'est ainsi que se présente le Lion. Qu'est-ce qu'un quadrupède ? Comment ce mot est-il formé ?

13 Cite quatre autres mots formés à l'aide du même préfixe.

Faire le bilan

14 Pourquoi peut-on dire, après en avoir lu le début, que ce texte est un conte ? Aide-toi du repère page 62 pour répondre.

À toi de jouer

15 Rentré chez lui le soir-même, Zan Donso raconte à son frère l'aventure qu'il a vécue près du puits. Imagine son récit.

Étape 2 • Analyser la structure et les personnages d'un conte

SUPPORT • *Le Chasseur et son cordonnier ou le comble de l'ingratitude* (conte bambara) en entier (p. 12-25).

OBJECTIF • Établir le schéma narratif* et étudier le rôle des personnages.

As-tu bien lu ?

1 L'Hyène accompagne Zan Donso parce qu'elle veut :
☐ l'aider à porter son gibier
☐ manger le produit de sa chasse ☐ lui rendre service à son tour

2 Elle s'attaque aux bandits coupeurs de route pour :
☐ manger leurs chevaux et leurs mules
☐ voler leur or ☐ protéger les villageois

3 Que décide Zan Donso lorsqu'il découvre sa fortune ?

4 Qu'arrive-t-il à Soridian à la fin de l'histoire ?

Le déroulement de l'histoire

5 Comment l'Hyène remercie-t-elle Zan Donso de l'avoir tirée du puits ? Cette aide fait-elle le bonheur ou le malheur de Zan Donso ?

6 Comment le Roi des Monts récompense-t-il Zan Donso pour les services qu'il lui a rendus ? Comment arrive-t-il à confondre le traître Soridian ?

7 Établis le schéma narratif de l'histoire en complétant le tableau suivant.

Situation initiale	Zan Donso et Soridian sont ....
Élément déclencheur de l'histoire	Un jour, Zan Donso ....
Péripéties	Pour le remercier, l'Hyène .... le Lion .... le Serpent ....

Élément de résolution (qui annonce la fin de l'histoire)	Le roi met Soridian à l'épreuve : ....
Situation finale	Zan Donso devient .... Soridian, lui, ...

Le rôle des personnages

8 Qui est le héros de ce conte ? À quelles qualités le reconnaît-on ?

9 Pourquoi Soridian veut-il pourtant se débarrasser de lui ?

10 Qui aide Zan Donso à sortir de prison ? De quelle façon ?

11 Classe les personnages de l'histoire, selon qu'ils aident ou qu'ils s'opposent à Zan Donso : que remarques-tu ?
– Adjuvants* (ceux qui aident le héros) : ....
– Opposants* (ceux qui veulent lui nuire) : ....

La langue et le style

12 Le titre du conte parle d'« ingratitude ». Que signifie ce mot ?

13 Dans le conte que tu viens de lire, qui s'est montré ingrat ? Qui, au contraire, a su manifester sa gratitude ?

Faire le bilan

14 Complète le texte à l'aide des mots suivants :
conte – situation finale – héros – opposant – adjuvants.
L'histoire de Zan Donso et Soridian est un .... :
le .... subit des épreuves qui montrent ses qualités.
Il est aidé par des .... Dans la .... ,
il trouve le bonheur alors que son .... est puni.

À toi de jouer

15 Tu connais certainement beaucoup d'autres contes. Choisis-en un, fais la liste de ses personnages et classe-les dans un tableau, selon qu'ils sont des adjuvants ou des opposants au héros.

Étape 3 • Étudier un conte qui fait rire

SUPPORT • *L'Hyène et le Lion endormi* (conte soudanais) [p. 26-31].

OBJECTIF • Repérer les procédés comiques et les marques de l'humour.

As-tu bien lu ?

1 L'Hyène profite du sommeil du Lion pour :
- ☐ lui apporter de l'eau
- ☐ l'insulter
- ☐ prendre sa place

2 En réaction, le Lion :
- ☐ la provoque en duel
- ☐ la poursuit à la course
- ☐ lui demande de partir

3 Qui sort vainqueur de ce combat ?

4 À qui l'Hyène veut-elle faire croire qu'elle « fait la loi » ?

Une situation amusante

5 Pourquoi l'Hyène se permet-elle d'insulter le Lion aussi violemment ? Aide-toi des trois premières lignes du texte pour répondre, et montre que la situation est comique.

6 À quel signe voit-on que l'Hyène a très peur lors des combats ? En quoi cette précision fait-elle rire ?

7 Pourquoi l'Hyène prend-elle la fuite à la fin de l'histoire ? Compare son attitude avec celle qu'elle montrait au début.

Des mots pour faire rire

8 L'Hyène est-elle aussi forte que le Lion ? Par quel moyen lui tient-elle tête cependant ?

9 Quelle qualité permet au Lièvre de ne pas être dupe de l'Hyène ? Que lui fait-il croire ?

10 Quels mots le narrateur* emploie-t-il pour désigner les excréments laissés par l'Hyène ? Relève les expressions du texte.

	Expressions employées
Après le premier combat	
Après le deuxième combat	
À la fin des combats	

11 Quel mot l'Hyène emploie-t-elle à son tour à la fin de l'histoire, quand elle répond au Lion ? À quel niveau de langue ce mot appartient-il ?

12 Que signifient les dernières paroles prononcées par l'Hyène ? Pourquoi provoquent-elles le rire ?

La langue et le style

13 L'Hyène explique au Lièvre qu'elle vient de « vider un différend » avec le Lion. Que veut dire cette expression ? Pourquoi est-elle particulièrement drôle ici ?

Faire le bilan

14 Des trois personnages de ce conte, lequel trouves-tu le plus drôle ? Explique pourquoi.

À toi de jouer

15 Tu connais certainement des contes, des fables ou des films dont les personnages sont comiques. Présentes-en un, et explique en quelques lignes pourquoi tu le trouves particulièrement amusant.

Étape 4 • Caractériser le personnage de l'Hyène

SUPPORT • *L'Hyène et le Lion endormi* (conte soudanais) [p. 26-31] et *Les Trois Pêcheurs bredouilles* (conte bambara) [p. 32-37].

OBJECTIF • Étudier les traits caractéristiques d'un personnage récurrent.

As-tu bien lu ?

1 Dans *Les Trois Pêcheurs bredouilles*, pourquoi l'Hyène, le Bouc et le Chien se retrouvent-ils au bord d'une mare ?

2 De ces trois animaux, lequel prend le commandement ?

3 Qui s'enfuit avec les trois poissons ?
☐ le Bouc
☐ le Chien
☐ l'Hyène

4 Qui mange les poissons à la fin de l'histoire ?

L'Hyène, un personnage qui se croit très fort…

5 Au début de l'histoire des *Trois Pêcheurs bredouilles*, l'Hyène « s'attribue le commandement ». Quel aspect de sa personnalité cela traduit-il ?

6 Quel jugement porte-t-elle sur ses compagnons ? Aide-toi des lignes 18 à 21 (p. 32) pour répondre.

7 Dans *L'Hyène et le Lion endormi*, quel détail montre que l'Hyène agit toujours de la sorte ?

8 Complète le tableau et compare les partages envisagés par les trois personnages. Que constates-tu ?

	Répartition des poissons pêchés
Selon le Bouc	....
Selon le Chien	....
Selon l'Hyène	....

… et dont on se moque pourtant

9 L'Hyène cherche à tromper le Chien ; comment s'y prend-elle ? Cette ruse est-elle efficace ? Quelle qualité possède donc le Chien ?

10 Le Bouc pouvait-il lutter avec l'Hyène ? Comment s'y prend-il pour triompher malgré tout ?

11 Dans *L'Hyène et le Lion endormi*, quel autre animal avait également triomphé de l'Hyène ? Que peut-on en conclure ?

12 Relis *L'Hyène et le Lion endormi* et *Les Trois Pêcheurs bredouilles*. Dans chacun de ces contes, quel est le personnage le plus faible physiquement ? Quel est le plus rusé ? Quelle est donc la leçon donnée par le conte ?

La langue et le style

13 Les deux passages en italique à la fin du conte *Les Trois Pêcheurs bredouilles* sont des métaphores*, c'est-à-dire des moralités* exprimées de façon imagée. As-tu compris ce qu'elles signifient ? Réécris ces passages en langage courant, de façon plus explicite.

Faire le bilan

14 Retrouve, pour chaque animal, les caractéristiques qui lui conviennent le mieux.

Le Lion – l'Hyène – le Lièvre – le Chien – le Bouc – le Chat – les Moineaux	la force – l'orgueil – la vantardise – la couardise – la gloutonnerie – la moquerie – l'égoïsme – la ruse – la rapidité – la réflexion – la sagesse

À toi de jouer

15 **a.** Sais-tu vraiment ce qu'est une hyène ? Fais une recherche au CDI ou sur Internet et réalise un petit exposé que tu présenteras en classe.
b. Pour quelle raison les deux contes insistent-ils autant sur les hurlements et les ricanements de cet animal ?

Étape 5 • Analyser la sagesse qui se dégage d'un conte

SUPPORT • *La Révolte des bovidés ou le jour où les bœufs voulurent boire du lait* (légende peule) [p. 38-43].

OBJECTIF • Comprendre la fonction didactique du conte.

As-tu bien lu ?

1 Coche les bonnes réponses.

a. L'histoire se passe dans un pays :

☐ très pauvre ☐ très riche ☐ aride
☐ verdoyant ☐ très beau ☐ hostile

b. Les bovidés sont :

☐ des boucs et des chèvres
☐ des moutons et des brebis ☐ des bœufs et des vaches

c. Le roi des animaux est :

☐ un singe ☐ un homme ☐ un dieu

2 Un beau jour, que décident les bêtes ? Pour quelle raison ?

3 Que demandent-elles à la fin de l'histoire ?

Une rébellion peu ordinaire

4 Relis le texte, des lignes 36 à 45 : en quoi consiste le travail des bovidés ? Quel adverbe surprenant est employé dans cette description ?

5 Qui prend le commandement de la révolte des bœufs ?

6 Un animal doute pourtant de la réussite de la nouvelle organisation. Qui est-il et quelle est sa fonction dans l'histoire ?

La leçon d'un véritable chef

7 Comment réagit le roi lorsqu'il voit la manifestation ? Quelle décision prend-il ?

8 Compare l'attitude et le discours des taureaux au début de l'histoire et à la fin. Que constates-tu ?

Les taureaux	Au début de l'histoire	À la fin de l'histoire
État physique	....	....
Action entreprise	Ils se rebellent	....
Ton du discours	....	....

9 Quelles qualités le roi a-t-il montrées face à la révolte des bovidés ?

10 Que représentent en réalité les personnages de ce conte ? Que symbolisent l'activité des bovidés et le lait qu'ils produisent ?

11 Quelle leçon l'auditoire doit-il en tirer ? Aide-toi des lignes 52-53 et des passages en italique à la fin du texte pour répondre.

La langue et le style

12 « Avez-vous deviné qui était ce roi ? » (l. 23) : à qui le narrateur* s'adresse-t-il ? À ton avis, pourquoi fait-il la description du roi sous la forme d'une devinette ?

Faire le bilan

13 À quel genre de texte ce récit ressemble-t-il ? Comment pourrait-on appeler les passages en italique à la fin du texte ?

14 Complète le texte à l'aide des mots suivants :
leçon – fable* – moralité* – animaux – sagesse.
Ce conte peul ressemble à une .... : en mettant en scène des ...., l'auteur fait passer une .... de .... résumée dans la .... finale : les bons dirigeants guident le peuple et assurent son bonheur.

À toi de jouer

15 Choisis un conte que tu apprécies particulièrement, et rédige en quelques lignes la moralité qu'il illustre.

Étape 6 • Lire deux contes moraux

SUPPORT • *Satan et la « Foire-Catastrophe »* (conte peul) [p. 44-49] et *La Poignée de poussière* (conte peul) [p. 50-51].

OBJECTIF • Étudier les valeurs morales exprimées dans des contes.

As-tu bien lu ?

1 Dans *Satan et la « Foire-Catastrophe »* :

a. Quelles sont les marchandises proposées à la vente dans la « Foire-Catastrophe » ?

b. Qui propose de telles marchandises ?

c. Qui permet à Miandafou d'assister à cette foire ?

- ☐ une sauterelle
- ☐ un lézard
- ☐ un scarabée

2 Dans *La Poignée de poussière* :

a. Quel métier fait l'homme pauvre pour gagner sa vie ?

- ☐ il fait le ménage
- ☐ il ramasse du bois
- ☐ il s'occupe du bétail

b. Coche la bonne réponse :

- ☐ Une voisine lui propose son aide
- ☐ L'homme pauvre demande l'aumône
- ☐ L'homme riche lui propose de l'argent

Trois défauts trop répandus

3 Qui est le héros du conte *Satan et la « Foire-Catastrophe »* ?

4 Miandafou veut assister à la « Foire-Catastrophe » et se cache dans une termitière. Quel trait de caractère montre-t-il ainsi ?

5 Quelle qualité manifeste-t-il cependant (l. 8-13) ?

6 Quel est son adjuvant* ? Quel est l'objet magique utilisé pour l'aider ?

7 Qu'a-t-il appris à la fin de l'histoire ? Que symbolisent la belle dame, le vénérable marabout et le grand roi qui ont acheté les marchandises ?

?auvre mais clairvoyant

8 Qui sont les personnages dans *La Poignée de poussière* ?

9 Comment l'homme riche se comporte-t-il envers le pauvre ? Aide-toi des paroles prononcées pour répondre (l. 6-10 et 28-30).

0 L'homme pauvre semble-t-il malheureux de sa condition ? À quoi le voit-on ?

1 Pourquoi l'homme pauvre éclate-t-il de rire à la fin de l'histoire ? Que voulait-il faire comprendre au riche ?

2 Quels adjectifs permettent de caractériser chaque personnage ?

.a langue et le style

3 Lequel des deux textes ressemble à une fable* ? Lequel ressemble plutôt à une parabole* ? Cherche la définition de ces deux mots avant de répondre.

⁼aire le bilan

4 Relis les deux passages en italique à la fin des deux contes : à ton avis, que doivent comprendre les lecteurs ou les auditeurs de ces récits ?

À toi de jouer

5 Imagine la réaction de l'homme riche après qu'il a entendu la déclaration du pauvre (p. 51, l. 32-39). Que lui répond-il ?

Étape 7 • Étudier un conte des origines

SUPPORT • *Pourquoi les couples sont ce qu'ils sont* (légende peule) [p. 52-59].

OBJECTIF • Étudier l'une des fonctions du conte : raconter l'origine du monde.

As-tu bien lu ?

1 Dieu dit aux femmes de partir pour :
☐ un grand voyage ☐ le paradis ☐ découvrir le monde

2 Que doivent recevoir les premières arrivées ?

3 Trois jours après, qui Dieu envoie-t-il derrière elles ?

4 Quelle est la condition indispensable pour entrer au paradis ?

5 Pourquoi les hommes et les femmes se plaignent-ils une fois entrés au paradis ?

Les éléments d'un conte merveilleux*

6 Quels éléments permettent de dire qu'il s'agit d'un conte merveilleux ?

7 Quel nombre revient de façon répétitive tout au long de ce conte ?

8 Complète le tableau.

	Les femmes	**Les hommes**
Dieu leur promet	le paradis	....
Qui invente un chant de marche ?	....	....
Division du groupe	• .... • .... •	• .... • .... • ....
Composition des couples	• .... •	• Les hommes supérieurs épousent les femmes sans qualités. • Les hommes moyens épousent les femmes moyennes.

	Les femmes	Les hommes
Objectif de Dieu	• .... Les femmes dignes et sages serviront de refuge aux hommes diminués.	• ....

Un conte des origines*

9 Que distribue Dieu aux êtres humains après les avoir créés ?

10 Comment Dieu définit-il la perfection ? Aide-toi des lignes 131 à 135, p. 58, pour répondre.

11 Pourquoi Dieu forme-t-il les couples humains de cette façon-là ?

12 Quelle leçon donne-t-il tout à la fin du conte ?

La langue et le style

13 « Si je mettais toutes les valeurs d'un côté et toutes les non-valeurs de l'autre, les affaires du monde iraient de travers, comme une charge mal répartie sur le dos d'un bœuf porteur » (p. 59, l. 156-159).
a. Quel procédé Dieu emploie-t-il dans cette phrase pour se faire comprendre ? Explique ce qu'il veut dire avec tes propres mots.
b. Retrouve un procédé identique page 54.

Faire le bilan

14 Complète le texte à l'aide des mots suivants :
explication – différences – mariage – phénomènes.
Le conte des origines permet de donner une ....
à des .... naturels ou à des caractéristiques humaines. Ici, par exemple, le conte explique les ....
entre les êtres humains, et imagine l'origine du ....

À toi de jouer

15 Imagine un conte des origines. Écris un récit qui racontera pourquoi certains animaux marchent, d'autres volent, d'autres rampent...

Humains et animaux dans les contes : groupement de documents

OBJECTIF • Étudier les relations entre les humains et les animaux dans les contes.

DOCUMENT 1 JEAN DE LA FONTAINE, « La Grenouille qui se veut faire aussi grosse que le Bœuf », *Fables*, I, 3, 1668.

Jean de La Fontaine (1621-1695) est le plus célèbre des fabulistes français. Ses Fables *ont inspiré beaucoup d'écrivains et d'artistes.*

La Grenouille qui se veut faire aussi grosse que le Bœuf

Une Grenouille vit un Bœuf
Qui lui sembla de belle taille.
Elle qui n'était pas grosse en tout comme un œuf,
Envieuse s'étend, et s'enfle, et se travaille
Pour égaler l'animal en grosseur,
Disant : « Regardez bien, ma sœur,
Est-ce assez ? dites-moi ; n'y suis-je point encore ?
– Nenni[1]. – M'y voici donc ? – Point du tout. – M'y voilà ?
– Vous n'en approchez point. » La chétive pécore[2]
S'enfla si bien qu'elle creva.

Le monde est plein de gens qui ne sont pas plus sages :
Tout Bourgeois veut bâtir comme les grands Seigneurs,
Tout petit Prince a des Ambassadeurs,
Tout Marquis veut avoir des Pages[3].

1. **Nenni** : non.
2. **Chétive** (masculin : **chétif**) : maigre et faible ; **pécore** : personne sotte et prétentieuse.
3. **Page** : jeune garçon au service d'un seigneur.

DOCUMENT 2 JAKOB ET WILHELM GRIMM, *Le Roi Grenouille,* traduction F. Baudry, M. Buchon, M. Robert, Larousse, Classiques Juniors, 1986.

Les frères Grimm vivaient en Allemagne il y a environ deux cents ans. Ils ont recueilli et publié les contes populaires de leur pays dans Contes de l'enfance et du foyer, *paru en 1812. L'extrait suivant est le début du* Roi Grenouille.

Au temps jadis, où les enchantements étaient encore en usage, vivait un roi dont les filles étaient toutes belles ; mais la plus jeune était si belle que le soleil lui-même, qui en a cependant tant vu, ne pouvait s'empêcher de l'admirer chaque fois qu'il éclairait son visage.

Près du château du roi se trouvait une grande forêt sombre, et, dans cette forêt, une fontaine[1] sous un grand tilleul. Dans la journée, au moment où il faisait le plus chaud, la fille du roi se rendait dans la forêt et s'asseyait au bord de la fontaine ; puis elle s'ennuyait, elle prenait une boule d'or qu'elle jetait en l'air et rattrapait au vol, et c'était là son amusement favori.

Or, il arriva une fois que la boule d'or de la fille du roi ne retomba pas dans sa petite main étendue en l'air, mais à terre, d'où elle roula aussitôt dans la fontaine. La fille du roi la suivit des yeux, mais la boule avait disparu, et la fontaine était si profonde qu'on n'en voyait pas le fond. Elle se mit alors à pleurer de plus en plus fort et sans pouvoir se consoler. Et comme elle pleurait ainsi, voilà qu'une voix lui cria :

« Mais, fille de roi, qu'as-tu donc ? Tu pleures vraiment de façon à attendrir une pierre. »

Elle se retourna pour s'assurer d'où venait cette voix, et aperçut une grenouille qui étendait sa tête épaisse et hideuse[2] hors de l'eau.

« Ah ! C'est toi, vieille clapoteuse d'eau, lui dit-elle. Je pleure ma boule d'or qui est tombée dans la fontaine.

– Calme-toi. Le mal est réparable ; mais que me donneras-tu si je te rapporte ton jouet ?

– Tout ce que tu voudras, ma chère grenouille, répondit-elle. Mes habits, mes perles, mes diamants, et même la couronne d'or que je porte.

1. **Une fontaine** : ici, il s'agit d'une source à ras de terre et assez profonde.
2. **Hideuse** : très laide.

– Je ne veux ni tes habits ni tes perles, ni tes diamants ni la couronne d'or que tu portes ; seulement, si tu veux être mon amie, si tu me permets d'être ta camarade et de m'asseoir à côté de toi à table, et de manger dans ta petite assiette d'or, et de boire dans ton petit verre, et de coucher dans ton petit lit ; si tu me promets tout cela, je vais plonger jusqu'au fond et te rapporter ta boule d'or.
– Oh ! Oui ! je te promets tout ce que tu voudras, pourvu que tu me rapportes ma boule. »

DOCUMENT 3 *La Princesse et la Grenouille,* film d'animation des studios Disney réalisé par John Musker et Ron Clements, 2009.

Un prince est transformé en grenouille par un sorcier tout-puissant. Pour se sortir de ce mauvais pas, il doit trouver une princesse dont le baiser lui rendra sa forme humaine.

As-tu bien lu ?

1 **a.** Pourquoi la Grenouille cherche-t-elle à grossir (document 1) ?
b. Que lui arrive-t-il à la fin de l'histoire ?

2 **a.** Où la princesse a-t-elle fait tomber sa boule d'or (document 2) ?
b. Qui lui propose son aide pour la récupérer ?

Comparer les textes

3 Dans les deux textes, à quoi voit-on que l'histoire se déroule dans un univers merveilleux ?

4 Dans le document 2, comment la princesse s'adresse-t-elle à la grenouille à la ligne 20 ? et à la ligne 24 ? Comment expliques-tu ce changement ?

5 Dans le document 1, quel est l'adjectif qui correspond le mieux à la grenouille : prétentieuse – modeste – égoïste – capricieuse ? Explique pourquoi.

6 Relis le document 2 (l. 24-31). Que propose la jeune fille ? Que demande la grenouille ?

Lire l'image

7 Quels sont les personnages représentés sur l'image ? Où se trouvent-ils ?

8 Qui est la jeune fille ? Comment le sais-tu ?

9 Que veut faire la grenouille ? À quoi le vois-tu ?

10 Comment réagit la jeune fille ? À ton avis, pourquoi ?

11 Cette image illustre-t-elle un documentaire sur les grenouilles, un article du dictionnaire, un conte de fées ?

12 Quels points communs retrouves-tu dans le document 2 et l'image ?

À toi de jouer

13 En quelques lignes, imagine la suite de l'histoire du *Roi Grenouille* : la princesse va-t-elle ou non tenir sa promesse ?

14 Fais une recherche sur Internet ou au CDI : quels sont les animaux qui apparaissent le plus souvent dans les contes européens ? et dans ceux de l'Afrique ?

Les contes et légendes recueillis dans cette anthologie sont pour la plupart d'origine peule. Mais qui sont les Peuls ? Comment vivent-ils ? Quelles sont leurs traditions et leurs valeurs ? Découvrons ce peuple qui occupe depuis plusieurs siècles la partie occidentale de l'Afrique.

Qui sont les Peuls ?

L'ENQUÊTE EN 4 ÉTAPES

1 Où vit le peuple peul aujourd'hui ?

Il y a environ huit millions de Peuls en Afrique. Ils vivent surtout dans une grande zone géographique située au sud-ouest du Sahara, et recouvrant le Sénégal, le Mali et le Niger, de la côte atlantique jusqu'au lac Tchad.

● LA SAVANE

La savane africaine est une région constituée de hautes herbes plus ou moins parsemées d'arbres ou d'arbustes. Les arbres ont une écorce épaisse, qui leur permet de résister à la sécheresse et aux feux de brousse[1]. Les Peuls côtoient les animaux typiques de ces espaces : les lions et les éléphants, les hyènes les hippopotames et les buffles. Il y a aussi une multitude d'animaux plus petits, comme les lézards et les geckos[2], et divers insectes comme les termites qui construisent de grandes termitières que l'on peut voir de loin.

Le baobab

Il peut être énorme, atteindre 25 mètres de haut et 12 mètres de circonférence ! Son tronc est assez mou, gorgé d'eau ; c'est pourquoi on l'appelle aussi « arbre-bouteille ». Une fois par an, il fleurit et donne ensuite des fruits acidulés que les enfants africains grignotent comme des bonbons. On peut aussi manger ses graines après les avoir fait griller. Le baobab peut vivre très longtemps : certains ont plus de 2 000 ans.

1. La **brousse** est une étendue couverte de broussailles très sèches, où le feu prend facilement.

2. **Geckos :** sortes de lézards qui ont sous leurs pattes des coussinets adhésifs leur permettant de circuler sur toutes les surfaces.

• DES ARBRES FORMIDABLES

Dans la savane, on trouve des arbres extraordinaires, aux noms qui font rêver : flamboyants, rôniers, fromagers, tamariniers, jujubiers, balanzas, doubalens ou caïlcédrats…
Mais l'arbre emblématique de l'Afrique, c'est le baobab.

• LA BOUCLE DU NIGER

Le fleuve Niger traverse tout l'Ouest de l'Afrique, formant une « boucle ». C'est dans ce territoire, délimité par des falaises, que se sont installées certaines tribus, parfois dans des habitations troglodytiques[3]. Le fleuve Niger irrigue de grandes zones de pâturages, indispensables au bétail ; il permet aussi aux sédentaires de cultiver les plantes nécessaires à l'alimentation.

Carte du bassin du Niger. Principal fleuve d'Afrique occidentale, le Niger (4 200 km), né dans le Fouta-Djalon, se jette dans le golfe de Guinée par un vaste delta. Son bassin (2 000 000 km²) couvre la Guinée, le Mali, le Niger et le Nigeria.

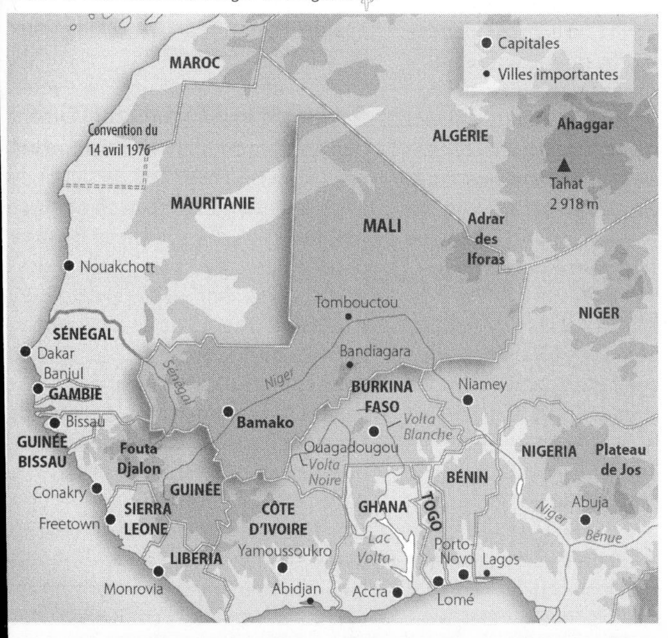

3. **Troglodytiques** : creusées

2 Quel est le mode de vie traditionnel des Peuls ?

La plupart des Peuls sont des éleveurs nomades : leur mode de vie est rythmé par les besoins de leurs troupeaux et la quête de nouveaux pâturages. D'autres Peuls se sont sédentarisés : regroupés et installés dans des villes ou des villages, ils occupent alors diverses fonctions artisanales ou commerciales.

• L'IMPORTANCE DU TROUPEAU

Les Peuls n'élèvent pas les animaux pour leur viande mais pour le lait. Un grand troupeau assure à la fois la survie et le prestige de son propriétaire : plus le troupeau est grand, plus son propriétaire est riche. Tout le monde peut posséder des bœufs et des vaches : on en offre même aux enfants, comme cadeau de naissance par exemple.

• L'HABITAT

Les Peuls nomades vivent sous des huttes rondes faites de branchages et recouvertes de couvertures de laine ou de nattes tressées. Pas besoin de construire quelque chose de très solide, puisqu'on bouge tout le temps...

Les Peuls sédentaires vivent dans des « concessions[1] » qui comportent une ou plusieurs habitations avec une cour et un jardin entouré d'une clôture. Si la famille s'agrandit, on construit une maison supplémentaire dans la concession.

• LES REPAS ET LA NOURRITURE

Les Peuls nomades se nourrissent presque exclusivement de lait et de sang. En effet, quand on se déplace tout le temps, il est difficile de faire pousser des légumes ou de transporter avec soi des céréales ou d'autres aliments. Mais le troupeau permet de se nourrir : les vaches donnent du lait, et il suffit de prélever de temps en temps un peu de sang au cou des bêtes pour avoir une ration suffisante de protéines, de fer et de vitamines.

Les Peuls qui vivent dans les villages mangent les légumes qu'ils font pousser dans leur jardin, les poissons qu'ils pêchent, des

1. **Concession :** ensemble d'un terrain où

Le repas en famille

« Nous devions observer sept règles impératives :
— ne pas parler ;
— tenir les yeux baissés durant le repas ;
— manger devant soi (ne pas grappiller à droite et à gauche dans le grand plat commun) ;
— ne pas prendre une nouvelle poignée de nourriture avant d'avoir terminé la précédente ;
— tenir le rebord du plat de la main gauche ;
— éviter toute précipitation en puisant la nourriture avec sa main droite ;
— enfin, ne pas se servir soi-même parmi les morceaux de viande déposés au centre du grand plat. Les enfants devaient se contenter de prendre des poignées de céréales (mil, riz ou autre) bien arrosées de sauce ; ce n'est qu'à la fin du repas qu'ils recevaient une pleine main de morceaux de viande considérée comme un cadeau ou une récompense. »
(Amadou Hampâté Bâ, *Amkoullel, l'enfant peul*, Actes Sud, 1991.)

céréales comme le mil, le fonio ou le sorgho, du maïs ou du riz... La consommation de viande reste réservée aux jours de fête. On mange alors du petit gibier ou du poulet, plus rarement du mouton.

Petit lexique peul autour du lait

Kétugol : crème de lait
Kosam : lait caillé
Tiakuré : petit lait
Néba : beurre
Komboïri : soupe au lait

Une fillette de la tribu Mbororo collecte le lait d'une vache.

3 Qu'est-ce que le pulaaku ?

Les Peuls obéissent à un code moral très exigeant : le pulaaku. C'est une sorte de philosophie, très ancienne, qui guide leur vie de la naissance à la mort. Le pulaaku est composé de trois grands axes : la maîtrise de soi, la franchise et la culture du savoir.

● LES COMMANDEMENTS DU PULAAKU

Rester fier, ne pas se laisser humilier, ne jamais avoir peur, ne jamais mentir, ne jamais voler, ne pas trahir ou manquer à sa parole, ne jamais couper les liens unissant des personnes, être généreux, tels sont les préceptes qui guident le Peul depuis son plus jeune âge. Il faut garder la maîtrise de soi-même en toute circonstance. Le pulaaku permet donc à la société de vivre en harmonie et d'assurer le bien-être de tous.

La pudeur peule

Un Peul ne manifeste pas ses sentiments : il est incorrect d'exprimer bruyamment sa joie ou sa tristesse. Pas de larmes, pas d'éclats de rire, on doit rester digne même quand on est ému. Il faut montrer sa force de caractère.

● LE RESPECT DE LA MÈRE

Dans la famille, la mère occupe une place particulièrement importante. Il y a même un proverbe qui dit : « Un Peul peut désobéir à son père, mais jamais à sa mère. »
La femme représente en effet tout ce qui est maternel, tout ce qui porte la vie en puissance. Le sein de la femme est donc comparable au sein de la terre, l'endroit où s'accomplit, dans le secret des lieux obscurs, le mystère de la vie.

● LE RESPECT DE LA NATURE

La présence de « Guéno », force supérieure ou Dieu, se manifeste dans toutes les choses de la nature. Il y a un échange permanent entre ce qui est visible et ce qui est invisible, entre les vivants et les morts. Le respect de tous les phénomènes naturels est donc primordial pour un Peul.

Observer la nature permet de comprendre la vie : une fourmilière ou une termitière, par exemple, donne l'occasion de parler de la solidarité et des règles de la vie en société.

● LA GÉNÉROSITÉ ET LE PARTAGE

Il est fréquent de partager sa nourriture, de donner des vêtements ou de quoi se protéger à ceux qui sont démunis. Amadou Hampâté Bâ raconte que, lorsqu'il était enfant, il y avait toujours chez lui un plat de nourriture destiné aux gens dans le besoin. « Si Dieu ne nous accordait qu'un épi de mil et dix cauris[1], nous les partagerions avec vous », dit un proverbe peul.

Cette solidarité se retrouve aussi dans la famille. Un orphelin sera adopté par son oncle ou sa tante, et l'éducation des enfants se fait naturellement au sein d'une famille très élargie : un enfant appelle « frères et sœurs » tous les enfants de cette grande famille. Il doit donc préciser parfois « même père, même mère », pour parler de ceux qui ont les mêmes parents que lui.

Sagesse peule

« Celui qui s'attache à l'argent dénude sa propre âme. »

« La connaissance d'une chose, quelle qu'elle soit, est préférable à son ignorance. » (*La connaissance mène à la tolérance.*)

« Avant de mettre un scorpion dans sa bouche, il faut avoir bien disposé sa langue. » (*Il faut prendre ses précautions avant d'entreprendre quelque chose de difficile.*)

Éleveurs peuls en Centrafrique.

1. Cauris : coquillages qui ont longtemps servi de monnaie en Afrique noire.

4 Comment s'exprime la culture peule ?

La culture peule s'est transmise oralement pendant des siècles : elle n'est donc pas perceptible grâce à des réalisations concrètes comme des statues ou des tableaux. Cependant, elle imprègne tous les aspects de la vie quotidienne, qui portent la marque des croyances et des valeurs de ce peuple.

● LA LANGUE ET LA LITTÉRATURE

La langue est très importante chez les Peuls : c'est en effet grâce à elle que les traditions persistent et que les valeurs morales se transmettent. Les enfants comme les adultes écoutent les histoires dites par les griots*, et ils les connaissent souvent par cœur, dans les moindres détails.

Les contes et les légendes, très nombreux, se transmettent ainsi de génération en génération. Ils permettent de faire comprendre les règles et les interdits, d'expliquer les mystères de la vie.

Les chants peuls sont en général des improvisations poétiques. Ils vantent les mérites d'un ancêtre, le courage d'un combattant ou la beauté d'une femme... Grâce à eux on n'oublie pas l'histoire du peuple et de ses héros.

Les Peuls aiment les langues, la poésie, et la plupart d'entre eux sont polyglottes[1]. Ils peuvent ainsi communiquer facilement avec les ethnies[2] voisines, échanger, faire du commerce.

● UN ARTISANAT RICHE EN SYMBOLES

Les objets fabriqués par les Peuls sédentaires sont l'œuvre des forgerons, des potiers, des cordonniers, des vanniers et des tisserands, qui pratiquent leur métier souvent de père en fils depuis des générations. Les Peuls sont célèbres pour leur sens de l'esthétique et la beauté des objets qu'ils réalisent.

- Le **forgeron** est un artisan très respecté : il sait produire du fer et abriquer des outils, sculpter des masques. C'est lui qui fabrique aussi les bijoux, les perles et les anneaux de métal. Il est le seul capable de représenter les ancêtres qui, comme le minerai de fer, se trouvent dans les profondeurs de la terre.
- Les **potiers** fabriquent des ustensiles pour la cuisine, en terre cuite au four. Ils les décorent à l'aide d'objets pointus ou de fibres végétales. Selon les époques, les poteries d'une région ont les mêmes formes et les mêmes décors : on peut donc savoir où et quand une poterie a été fabriquée.
- La **cordonnerie** est très développée ; il y a beaucoup de bétail, donc beaucoup de cuir. Chaussures, sacs, besaces, toutes sortes d'objets sont fabriqués par les cordonniers, sans oublier les selles des chevaux et les harnachements pour le bétail.

Des teintures naturelles

La teinture à l'indigo :
en écrasant les feuilles
d'un arbuste appelé « indigotier »,
puis en les faisant fermenter,
on obtient une teinture bleue
que l'on utilise pour les tissus.

D'autres végétaux sont utilisés pour teindre les tissus : la noix de cola, par exemple, donne une couleur marron clair. Le henné, mélangé à un corps gras comme le beurre de karité, sert plutôt à décorer la peau.

Famille mossi, trois générations, dans la cour de la maison familiale au sud-ouest de Ouagadougou.

- Les **tisserands** réalisent des bandes de tissus qu'ils assemblent et teignent, pour faire des pagnes[3] par exemple.
- Quant aux **vanniers**, ils tressent des fibres végétales pour faire des paniers décorés ou des nattes aux motifs symboliques.

Les Peuls nomades ne peuvent pas fabriquer autant d'objets que les sédentaires : ils passent donc des commandes auprès des villages lorsqu'ils ont besoin d'objets confectionnés. Cependant, sans être cordonniers, ils font eux-mêmes leurs calebasses, leurs chapeaux de cuir et leurs tabliers.

Femme peule bororo durant le Guérewol, fête de l'amour où les hommes se maquillent et dansent devant les femmes afin d'être choisis pour une nuit ou pour la vie.

● LES VÊTEMENTS, LES PARURES ET LES COIFFURES

Le costume traditionnel des Peuls sédentaires est composé d'une tunique et d'un pantalon bouffant pour les hommes, tandis que les femmes portent des robes multicolores, des pagnes et des blouses.

Les nomades, eux, sont vêtus d'une tunique et d'un tablier de cuir. Ils se protègent du soleil avec un chapeau de paille conique.

Les coiffures et les bijoux sont particulièrement remarquables : anneaux d'or ou d'argent, perles, bijoux faits de cuir et de métal. Les coiffures féminines sont très élaborées : chignons, nattes décorées de cauris ou de perles, voire de pièces de monnaie. Certains hommes laissent leurs cheveux longs, puis se rasent le crâne vers l'âge de 50 ans.

Le savais-tu ?

Tant qu'il est enfant, le petit Peul se promène tout nu. C'est bien pratique pour s'amuser dans la brousse avec ses amis ! Mais après les cérémonies de passage à l'âge adulte, plus question de se comporter comme un enfant : il faut alors s'habiller et faire comme les grands, bien se tenir, ne pas courir, ne plus chahuter…

3. Pagne : morceau de tissu drapé autour de la taille et couvrant le corps des hanches jusqu'aux pieds.

etit lexique du conte

Adjuvant	Personnage du conte qui aide le héros à atteindre son but ou à triompher dans les épreuves.
Allégorie	Représentation d'une idée par une image (par exemple un objet symbolique ou une métaphore).
Cadre spatiotemporel	Ensemble des éléments permettant de situer où et quand se déroule l'action. Dans un conte, le cadre spatiotemporel est toujours très flou car l'histoire se déroule dans un monde irréel.
Fable	Court récit, en vers ou en prose, contenant une moralité.
Griot (griotte au fém.)	Appelé aussi *djéli*, le griot est un conteur traditionnel en Afrique de l'Ouest. Grâce à ses récits, il transmet l'histoire des familles, des peuples et du pays tout entier.
Héros	Personnage central du conte, qui doit traverser des épreuves ou vivre des aventures lui permettant d'atteindre son but.
Incipit	Premiers mots ou premières pages d'un roman ou d'un conte.
Merveilleux (éléments)	Objets ou événements surnaturels qui donnent au héros des pouvoirs exceptionnels (baguette magique, poudre ou potion magique...) lui permettant de réussir.
Merveilleux (registre)	Ensemble des éléments surnaturels situant le conte en dehors de la réalité.
Métaphore	Comparaison sous-entendue.
Moralité	Sorte de conclusion qui accompagne l'histoire et donne une leçon de sagesse au lecteur ou à l'auditeur.
Narrateur	Personnage qui raconte l'histoire ; l'auteur est celui qui écrit l'histoire.
Opposant	Personnage qui cherche à nuire au héros ; il veut l'empêcher de réussir ou d'atteindre son but.
Origines (conte des)	Conte qui donne une explication à un phénomène naturel ou à un élément de civilisation.
Parabole	Comparaison développée dans un récit, dans laquelle on retrouve un enseignement religieux ou moral.
Schéma narratif	Sorte de « modèle » commun à tous les contes. Le conte comporte toujours une *situation initiale*, des *épreuves* que le héros doit traverser et une *situation finale*.
Symbole	Représentation concrète d'une réalité morale, invisible, abstraite. Par exemple, dans les contes, les animaux sont les symboles des qualités et des défauts humains.

À lire et à voir

- **AUTRES CONTES D'AMADOU HAMPÂTÉ BÂ**

Petit Bodiel et autres contes de la savane, Stock, 1994

Contes initiatiques peuls, Stock, 1994

Amkoullel, l'enfant peul, Actes Sud, 1991

Le Petit Frère d'Amkoullel, Syros, coll. « Multicultures », 1994

- **POUR MIEUX CONNAÎTRE L'AFRIQUE ET SES HABITANTS**

Bernard Nantet, *Au cœur de l'Afrique,* encyclopédie Milan Jeunesse, 2004

Dtefan Rousseau et Alexandre Messager, *L'Afrique racontée aux enfants,* illustrations Marie Doucedame, La Martinière Jeunesse, 2009

- **DES CONTES AFRICAINS EN FILMS**

Michel Ocelot, *Kirikou et la sorcière,* 1998

Michel Ocelot, *Kirikou et les bêtes sauvages,* 2005

Michel Ocelot, *Kirikou et les hommes et les femmes,* 2012

Table des illustrations

Iconographie : Hatier Illustration
Principe de maquette : Marie-Astrid Bailly-Maître & Sterenn Heudiard
Suivi éditorial : Luce Camus
Illustrations intérieures : Cécile Geiger
Mise en page : CGI
Dépôt légal : 96635-4/06 - Juillet 2021
Achevé d'imprimer par Black Print CPI Ibérica S.L.U - Espagne

Hatier s'engage pour l'environnement en réduisant l'empreinte carbone de ses livr
Celle de cet exemplaire est de 350 g éq. CO_2
Rendez-vous sur www.hatier-durable.fr